Maugins

Dear Patricia
        and Joseph

I am so glad then you enjoy
my Food. We are Very Helly
to shine this beautibull moment
with you today.
   Love
    Best Regard's.
      Denis
              Vetisson

Denis Fétisson

Le produit à l'honneur

La Place de Mougins

photographies
Jean-Michel Sordello
—
textes
Bernard Deloupy

Glénat

Denis Fétisson à <u>La Place de Mougins</u>, c'est une alchimie. La relation fusionnelle entre un homme du Sud, un lieu d'art et d'histoire et des produits portés à leur plus riche expression. Depuis ses débuts à quatorze ans dans le haut Var, son parcours culinaire l'a mené aux quatre coins du monde, aux côtés de grands chefs à la personnalité rayonnante. En hommage à toutes ces cuisines qui l'ont construit, lui est venue l'envie de partager ses racines en créant un concept original : « le produit à l'honneur ».

Au cœur du village de la gastronomie, il décline chaque mois un produit de saison, de l'entrée au dessert. D'une rigueur extrême dans la sélection de ses fournisseurs et d'une précision chirurgicale dans la progression de ses recettes, Denis Fétisson laisse exploser sa créativité dans leur conception. Entre ses mains, truffe noire, citron de Menton, asperge de Mallemort, œuf fermier, artichaut épineux, pêche plate, courgette violon, tomate, cèpe, Saint-Jacques, aubergine, chocolat dévoilent des saveurs et des sucs insoupçonnés.

sommaire

préface

Sans de bons produits, un cuisinier n'est rien. Et le produit, c'est toute l'histoire de ma vie.

Tout au long de ma carrière, j'ai eu la chance d'en travailler de magnifiques. D'abord dans les grandes maisons où j'ai pu perfectionner mon savoir-faire, comme le *Royal* à Évian, le *Grand Hôtel de Vichy*, chez *Alain Chapel*, l'*Hôtel Eden* à Arosa, le *Restaurant de l'Hôtel de Ville* de Frédy Girardet à Crissier, en Suisse, aux États-Unis, à Hong Kong, Beyrouth ou Damas. Mais surtout aux *Chênes Verts*, à Tourtour, où je me suis installé après avoir été chef à *La Bastide*, dans ce même village du haut Var.

Moi le Marseillais, j'ai retrouvé là mon cher terroir provençal. Et il m'a tout fourni à profusion, à ma porte : des truffes noires, au parfum exceptionnel, qu'un rabasseur fidèle me livre en exclusivité depuis près de quarante ans ; des légumes croquants, des viandes fondantes, des fruits juteux, des cèpes odorants, un miel savoureux... C'est pour ces produits que Roger Vergé a conduit lui-même chez moi le premier journaliste. Pour eux que des artistes comme Ronald Searle ou Bernard Buffet ont fait de mon établissement leur cantine. Pour eux aussi que des clients fidèles faisaient l'aller-retour depuis Paris pour un dîner, que des Allemands, des Anglais ou des Russes organisaient leur séjour sur la Côte d'Azur. Pour eux enfin que le *Guide Michelin* m'a honoré d'une étoile trente-cinq années d'affilée. Pour eux et pour eux seuls. Certainement pas pour ma conversation ni pour le décor de cette bergerie en ruine que j'ai reconstruite de mes mains et avec les moyens du bord !

Alors, au moment de transmettre ce restaurant qui a été toute ma vie, je ne pouvais rêver meilleur successeur que Denis Fétisson. Non parce qu'il est mon neveu et filleul, au contraire. Pour éviter qu'il ne se repose sur ce lien familial, je lui ai mené une vie d'autant plus rude quand il était mon apprenti. Non pas, non plus, parce qu'il a fait siens les principes de travail, d'endurance à la tâche, d'opiniâtreté, de recherche de la perfection, de curiosité que je lui ai inculqués. Mais parce qu'il aime et respecte le produit autant que moi. Parce qu'à l'heure de courir les collines avec le chien truffier, son œil s'illumine comme le mien à son âge. Parce qu'il éprouve une émotion sincère à aller cueillir les herbes de la garrigue. Parce qu'il éprouve le même enthousiasme que moi à dénicher les œufs dans notre poulailler. Parce qu'il respire, palpe, tâte, hume et goûte le légume comme moi, avec tendresse et rigueur. Parce qu'il a le coup d'œil pour opérer la juste sélection, deviner l'imposture de la peau trop brillante, déceler à l'avance le goût et la texture des produits qu'il observe sur le marché. Parce que du sang de paysan, d'homme de la terre, fier de sublimer le travail du producteur, son frère de labeur, coule dans ses veines comme dans les miennes. Avec Denis, mon petit restaurant de campagne est entre de bonnes mains, et je suis heureux qu'il y perpétue les valeurs que nous partageons : l'artisanat, la générosité, la simplicité, la convivialité. Mais surtout, surtout, le culte vrai du beau produit, notre seul maître.

Paul Bajade

Denis Fétisson

« Le souvenir de nos traditions n'est-il pas notre plus grand héritage ? »

Denis Fétisson, on dirait le Sud. Il le vit, il le respire. Né à Marseille, le carrefour de toutes les Méditerranées, il est construit de ce métissage qui bout dans ses veines. Du sang français, il a hérité le goût. Du grec, la volonté. Et de l'italien, la sociabilité. Enfant, il arpentait les collines de Saint-Julien-le-Montagnier, village perché du haut Var, près des gorges du Verdon. À douze ans, le mari de sa nounou, un « rabassier » – ou chercheur de truffes –, l'emmène avec des airs de conspirateur dans les « brûlés », ces cercles magiques où les pépites d'or noir sommeillent sous le chêne. Le chien qui « cave », grattant frénétiquement au pied de l'arbre, le tournevis qui s'enfonce dans le sol, le champignon bosselé qu'une main calleuse présente à ses narines, l'arôme puissant de terre, l'émotion avec laquelle il dépose son trésor dans son mouchoir décident de sa vocation.

Vingt ans plus tard, alors que Denis a déjà exploré bien des chemins du goût, l'opportunité de se mettre à son compte se présente. Il rencontre un financier britannique de la City, Chris Levett. Collectionneur d'art et amoureux de la France, celui-ci a eu le coup de foudre pour une belle maison de deux étages au cœur de Mougins, dont le restaurant, *Le Feu Follet*, occupe le rez-de-chaussée. Leur projet partagé : redonner vie à l'une des tables emblématiques de la commune ! Le chef a carte blanche.

Héritier de la cuisine du soleil

Denis Fétisson voit dans le challenge qui se présente à lui un clin d'œil du destin. C'est dans ce même village qu'il a perfectionné son apprentissage de « la cuisine du soleil », des années auparavant, auprès de son maître Roger Vergé à *L'Amandier de Mougins*. Un retour aux sources. Au gré d'une carrière déjà bien remplie, il a sillonné le monde, appris auprès des plus grands chefs, multiplié les expériences culinaires dans de grandes maisons. Fort de ce parcours, il tient enfin l'occasion de rendre hommage à ses racines. Et de perpétuer, tout en le réinventant, l'héritage de la cuisine du soleil au sein du plus célèbre village gastronomique de France. Le concept du « produit à l'honneur » va naître.

Ses racines plongent dans son terroir, dans son histoire, dans son itinéraire. Pour le philosophe Michel Onfray, tous les cuisiniers sont proustiens. Derrière chaque grand chef, il y a une grand-mère, un souvenir d'enfant. Le souvenir fondateur de Denis Fétisson, c'est l'œuf du poulailler de ses parents, avec son gros jaune, concocté par de belles pondeuses élevées au maïs, goûteux « à se lécher les dix doigts d'une main » !

Durant tout l'été de ses quatorze ans, Denis est en stage dans une boulangerie, chez les Lieutaud. La nuit, pendant que ses copains dansent, il travaille au fournil, fasciné par le toucher de la pâte, le crépitement du pain chaud sortant du four, les couleurs qui arrivent. Ses parents, Charles et Éliane, lui font confiance. Sa jeune sœur Lesley, malgré son chagrin de le voir partir, l'encourage. Il ne les remerciera jamais assez.

L'été suivant, son parrain Paul Bajade, qui aura été étoilé plus de trente-cinq ans d'affilée, accepte de le former dans son restaurant *Les Chênes Verts* à Tourtour, le temple de la truffe noire de pays, la *Tuber melanosporum*. Le chef est un patron à l'ancienne, exigeant mais juste. Il mène la vie dure à son apprenti, le pousse dans ses limites. L'adolescent s'accroche, encaisse sans broncher, travaille sans relâche « le diamant noir ». À l'évocation de la première fois où il l'a servi sur un foie gras en feuilleté, du fumet emplissant la salle, du silence soudain des convives humant l'offrande, l'œil s'embue, la gorge se serre... Il est comme ça, Fétisson : il peut vite monter dans les tours, mais quand il exprime le devoir de transmettre de telles émotions, sa sensibilité affleure.

Une fois son diplôme du lycée hôtelier Bonneveine en poche, le jeune homme va parfaire son apprentissage des beaux produits auprès des plus grands. À *La Belle Otéro* [**] à Cannes, tout d'abord, aux côtés de Francis Chauveau, un chef constamment à la recherche de la perfection. Là, Denis s'éprend de l'artichaut épineux, quand il ne connaissait jusqu'alors que les petits violets. « Un légume paradoxal, aussi agressif à l'extérieur, avec ses épines à venin qui compliquent le travail du cuisinier, que tendre, savoureux et moelleux à l'intérieur. »

Au *Louis XV* [***] de Monte-Carlo, le temple d'Alain Ducasse, il apprend l'exigence au plus haut niveau. « Franck Cerutti fut une très belle rencontre. Et je n'avais jamais travaillé d'aussi beaux produits ! » Il tombe en amour pour la courgette violon, sa couleur puissante, sa forme biscornue, sa fraîcheur, son croquant... « En l'ouvrant, on découvre des dessins extraordinaires ! »

À *L'Amandier de Mougins* de Roger Vergé [***], il goûte à toute la générosité d'un grand homme et, en bon Provençal, retrouve l'émotion de sa cuisine solaire, à la fois chaleureuse, sensible et subtile. Son mentor lui apprend à exprimer le suc du citron de Menton, tout de vivacité, et lui enseigne comment jouer des contrastes entre douceur et acidité.

Son passage à Londres chez Nico Ladenis [***] lui confirme la valeur de la rigueur et de l'organisation. « L'exigence à l'anglo-saxonne, des journées de dix-huit heures pendant deux mois non-stop,

ça forme quand on a dix-neuf ans. » Sa ténacité, son assiduité, sa volonté, sa capacité de travail, c'est ici, à Park Lane, qu'il les a définitivement forgées.

Son premier poste de chef, Denis Fétisson l'obtient en Norvège, à vingt-trois ans. C'est dans la région des fjords qu'il cueillera ses premiers cèpes, qu'il s'enivrera de ces parfums de sous-bois humides, ces saveurs tendres et musquées. Éloigné des siens et de son terroir, il mettra un point d'honneur à défendre les couleurs de la Provence dont il ressent bientôt la nostalgie des produits. Puisant sa force aux sources du manque, c'est en Scandinavie que ce grand affectif décide de leur rendre les honneurs qu'ils méritent dès qu'il le pourra.

En attendant, son tour du monde se poursuit. Ses repères s'estompent, il s'ouvre aux différences, s'émerveille. L'émotion de la tomate, il la ressentira à Ibiza auprès d'une vieille Espagnole qui lui apprend le gazpacho andalou et lui rapporte des cagettes de fruits juteux et biscornus. Lors d'un détour au *Camino Real* de Mexico City, il s'initie au chocolat. Du pur, du brutal, pas raffiné. Une fève de cacao subtile, qui remplace la matière grasse. Des textures à l'amertume contenue qui se dégustent comme de bons vins. Il ne s'en départira plus.

En revanche, c'est à Paris que lui est venu le goût de travailler l'asperge. Alors chef du *Daniel*, près des Champs-Élysées, il découvre au hasard d'un étal au marché une botte d'asperges de monsieur Blanc que Victor, le maraîcher, lui présente comme « les premières qui seront proposées par un chef à Paris ». La fierté l'emporte et il achète ces demoiselles coiffées d'une couronne comme des reines de beauté.

Plus tard, le chef triplement étoilé du *Meurice*, Yannick Alleno, lui propose de reprendre les cuisines de *l'Hôtel Cheval Blanc* à Courchevel. Sa brigade passe de deux à vingt-cinq personnes. Il y acquiert la précision, le perfectionnisme, les techniques pointues d'un grand professionnel.

L'esprit de famille

De nombreuses distinctions jalonnent le parcours de Denis Fétisson : le prix Jacquart Île-de-France du Meilleur espoir de la cuisine française en 2006 ; le trophée du World Airline Transport Forum en 2007 ; deux étoiles Michelin acquises en 2009 et 2010 à l'*Hôtel Cheval Blanc* aux côtés du chef-consultant Yannick Alleno ; le trophée des Chefs en 2011 ; le trophée Grand de demain attribué par le Gault & Millau Tour 2013 en PACA...

Ce succès, il le doit en grande partie à la qualité des collaborateurs dont il a su s'entourer. Comme bien des gens

du Sud, et pour avoir apprécié l'esprit des grandes maisons familiales comme chez les Jacob [**] au *Bateau ivre* à Courchevel, Denis Fétisson est habité par l'esprit de famille. Muriel, son épouse, assure la direction de la salle en fée blonde de la maison. Pour la Niçoise qui aidait ses parents au restaurant *Le Mas des oliviers* sur les collines de Saint-Pierre-de-Féric, avant de rejoindre le *Cheval Blanc* à Courchevel, c'est un retour aux sources. « J'éprouve la joie de recevoir les clients chez moi comme s'ils étaient des amis. J'aime les mettre à l'aise, créer un équilibre subtil pour qu'ils nous sentent proches sans pour autant tomber dans une familiarité excessive. »

Denis Fétisson est un fidèle. Son chef-pâtissier, Pascal Giry, un Ardéchois bon teint, il l'a rencontré en 1998 sur la route Napoléon, à *La Bonne Étape*, une belle maison à l'ancienne tenue par la famille Gleize [*]. Une estime mutuelle, une grande complicité et une amitié solide ont lié les deux hommes au fil des ans. Et les équipes font bloc autour d'eux, conscientes de partager une même belle aventure. L'ambiance est celle d'un pack de rugby, resserrée, concentrée, solidaire.

Une saga gourmande

La pâtisserie *Pascal et Isa*, où officient Pascal Giry et son épouse Isabelle, est la dernière-

née des créations DF. La marque-ombrelle véhicule les valeurs que revendique le chef : goût, créativité et générosité. Elle englobe les restaurants *La Place de Mougins*, *L'Amandier de Mougins* et *Les Chênes Verts* à Tourtour, l'école de cuisine qui a repris le flambeau de la mythique école de « la cuisine du soleil » créée par Roger Vergé, et *La Boutique de l'Amandier* qui propose, en plus des glaces maison, tous les produits sélectionnés par le chef pour ceux qui aiment cuisiner à la maison.

À trente-cinq ans, Denis Fétisson cuisine, gère quatre affaires, emploie quatre-vingts salariés en saison. Lorsqu'on lui demande ce qui l'anime, la réponse fuse dans un éclat de rire : « C'est simple : transmettre, partager, conserver ma capacité d'émerveillement comme un enfant ! » |

La Place de Mougins

Mougins raconte le bien-vivre

Grimper jusqu'à ce petit bourg médiéval, juché sur son mamelon, c'est déjà tutoyer l'histoire d'une humanité gourmande. Face au panorama grandiose qui s'offre à nos regards, de la baie de Cannes aux contreforts de l'arrière-pays grassois, on comprend mieux pourquoi cet emplacement exceptionnel a séduit les hommes depuis l'âge du fer, près de quatre siècles avant Jésus-Christ.

La sécurité d'un promontoire stratégique, des terres fertiles alentour, un ensoleillement insolent, une rivière et des sources à profusion accourues des Préalpes voisines, il n'en fallait pas plus pour fonder ce village aujourd'hui classé parmi les plus beaux de France. Une tribu ligure s'y établit jusqu'à ce que les Grecs y implantent la vigne et l'olivier. Par la suite, les Romains y installent un point de ravitaillement sur le tracé de la via Julia Augusta qui reliait l'Italie à l'Espagne.

Au Moyen Âge, sous le règne du roi René, souverain de Provence, une charte de franchise consentie par l'abbé de Lérins, seigneur des lieux, accorde aux Mouginois le privilège d'être jugés sur place. Attirés par cette protection, les bras vigoureux affluent, les éleveurs s'implantent, l'agriculture prospère et les moulins à huile fleurissent sur les rives de la Siagne.

En musardant jusqu'au village qui se love en colimaçon autour de son clocher, on se sera déjà imaginé dans un des prés dont les alentours sont prodigues, complantés d'oliviers à l'ombre desquels il faisait bon faire la sieste, le nez dans les fleurs et un œil sur les chèvres broutant le thym et la sarriette. Et puis, passé les vestiges des fortifications du XVe siècle, ses portes défensives à mâchicoulis, ses remparts et ses campaniles, on est convié à une invitation au voyage en terre de gourmandise.

Au long des ruelles tortueuses aux murs et au pavement de pierre, les fumets s'échappant des cuisines racontent les traditions culinaires d'un terroir généreux. Les civets de lièvre aromatisés d'estragon des collines et accompagnés de la polenta de maïs importée par les travailleurs piémontais. La traditionnelle pignate, marmite provençale en terre cuite où mijotait l'agneau de lait parfumé au romarin. Les brochettes de grives qu'on se dégustait entre amis, à la fin de la saison. Les brins de fenouil trempés dans le pissala, pâte à base de purée d'anchois. Les petites asperges des prés dont on se régalait en famille, après la promenade dominicale…

Le soir à la fraîche, sur les placettes ombragées où chante une fontaine moussue, tout en dégustant à petites gorgées la limonade à la menthe, on évoque les exploits de Célestin Véran, propriétaire du Grand Couloir, un ancien moulin à huile, qui fit ses classes à Toulon et remporta en 1912 le prestigieux concours de cuisine des équipages de la Flotte. Après la guerre, devenu marin-pêcheur, il transforma son bateau en taxi de la mer pour les riches Anglais. Au petit matin, il embarquait les touristes, ramassait les oursins, pêchait avec eux les ingrédients de la bouillabaisse qu'il préparait et dégustait au cabanon de l'île Sainte-Marguerite. Un véritable festin que toutes les têtes couronnées, dont le duc de Windsor qui était devenu son ami, tenaient absolument à partager durant leur séjour hivernal sur la French Riviera. D'où le surnom de « Royal Tambouil » dont l'avaient affectueusement affublé les villageois.

On évoque encore avec fierté Lisnard, un enfant du pays, cuisinier à bord du *Royal Louis*, vaisseau de ligne du roi Louis XVI, qui aurait inventé la mayonnaise pour agrémenter les repas de l'amiral. On se remémore avec des airs entendus le célèbre aïoli de Fernand Bain. Et avec déférence les grands de ce monde qui, dans les années trente, honoraient la table du Golf Country Club Cannes-Mougins créé sous l'impulsion du prince Pierre de Monaco, du baron de Rothschild et de lord Derby. On mentionne avec nostalgie les

festins du *Vaste Horizon* où Pablo Picasso et ses amis passèrent les vacances de 1936 à 1940 et où Louison Bobet et son équipe cycliste établirent leur camp d'entraînement. On se rappelle le restaurant créé après-guerre par Girard, un élève d'Escoffier, devenu dès la fin des restrictions *La Musarde* de Beatrix Durand. « Montaient à Mougins » ceux qui fuyaient les trépidations du festival de Cannes. Le roi Léopold de Belgique, le roi Farouk, l'Aga Khan, Paul Éluard, Maurice Chevalier y avaient leurs habitudes. On cite toujours avec émotion *La Pax*, le premier hôtel-restaurant du village où officia un chef Meilleur Ouvrier de France.

On se souvient en salivant des gibiers braconnés au furet dont madame Suche régalait ses hôtes à Saint-Basile. De la cuisine de la ferme du Château de la Peyrière, reprise par monsieur Josse, un aubergiste du Cap-d'Antibes. Des plats goûteux de Denise Donot aux fourneaux du *Rendez-Vous de Mougins*, l'ancien *Hôtel de France*. De Nicolas Polverino et de Georgette qui créèrent dans la maison Pellegrin, place du Commandant-Lamy, un restaurant où Mémé Jeanne préparait les plus délicieuses recettes mouginoises. Des repas chez Mestre Agard, au quartier Saint-Martin, un grand ami de son voisin le père de Charles Aznavour. De la création par André Surmain, flamboyant chef du *Lutèce* à New York, du *Relais* en centre-ville, puis

du *Feu follet* où sa fille et son gendre pratiqueront à sa suite une cuisine toute provençale.

On s'enorgueillit enfin de la reprise par Roger Vergé et son épouse Denise, en 1969, du *Moulin de Mougins*. Trois étoiles Michelin viendront consacrer le talent du chef moins de cinq ans plus tard. L'école de la « cuisine du soleil » créée dans l'enceinte de sa deuxième adresse, *L'Amandier de Mougins*, formera nombre de chefs prestigieux et contribuera à la notoriété mondiale du village. Au point que *Le Moulin* accueillera chaque année, à l'occasion du festival de Cannes, le gratin des stars du show-business, lors du dîner de gala de l'amfAR – la fondation américaine de lutte contre le sida créée par Elizabeth Taylor. Comptant plus d'une trentaine de restaurants et d'écoles de cuisine, la commune s'est imposée au fil des ans comme la capitale de la gastronomie et des arts de vivre. Ne fut-elle pas un temps le village le plus étoilé de France, avec sept étoiles Michelin en 1992 ? Un prestigieux festival international de la gastronomie, Les Étoiles de Mougins, consacre depuis dix ans la commune, étape obligée des gourmets en terre d'Azur.

Après avoir cheminé entre les anciens fours à pain, pressoirs à huile, moulins à farine et caves à vin, nos pas nous mènent sur la place du Commandant-Lamy, face à la mairie où le restaurant *La Place de Mougins*

– l'ex-*Feu follet* – perpétue en les réinterprétant les traditions culinaires du village. Mais il sera davantage question ici d'émotions artistiques que de nostalgie d'un passé défunt. La belle maison crème aux volets lavande donne le ton d'une élégance décontractée.

Passé le seuil, teintes chaleureuses, matériaux sobres, lignes nettes et couleurs douces jouent la carte d'une modernité intemporelle. Aux cimaises, des tableaux et des lithographies rappellent que Mougins a toujours entretenu des liens étroits avec les muses grâce à son cadre exceptionnel et aux artistes qui s'y sont installés. En 1924, Francis Picabia y pose son chevalet, communique son enthousiasme à ses amis et attire les plus grands, dont Pablo Picasso, encore inconnu, qui logera dès 1936 à l'hôtel *Vaste Horizon*. Une nuit, pris d'une fièvre créatrice, il peint entièrement sa chambre que l'hôtelier, furieux, l'obligera à remettre en état avec une couche de blanc sur les murs... Pas rancunier, l'artiste se fixa définitivement au village où il passera les quinze dernières années de sa vie. La réputation culinaire de Mougins n'était pas tout à fait étrangère à son engouement. Cocteau, Fernand Léger, Man Ray, Christian Dior, Yves Saint-Laurent y séjournèrent à sa suite. Et ateliers d'artistes et galeries d'art alimentent toujours le mythe d'une inspiration renouvelée.

Nous nous glissons maintenant avec volupté à la « table des amis ». Muriel Fétisson évolue autour de nous avec grâce, aux petits soins. Le chef vient s'enquérir de nos goûts et confie sa philosophie : « J'aime les cuisines traditionnelles et simples. Mais j'aime aussi jouer avec la limite pour trouver le juste équilibre d'un plat. » On se laisse tenter par le menu du produit à l'honneur ce mois-ci. Serveurs et sommeliers se succèdent, attentifs à nos désirs. Nous apprécions leur discrète présence qui met en exergue le savoir-faire du service à la française, sans le pesant cérémonial que trop de grandes maisons se croient encore obligées de nous infliger.

Des mises en bouche au dessert, chaque fois qu'un nouveau mets est présenté, le silence qui s'installe entre les convives raconte en sourdine le voyage de ces produits de terroir travaillés avec application, mariés avec amour, servis en majesté. Un simple fumet devient un triomphe de parfums. Avec eux, nous plongeons dans l'océan, humons les sous-bois, goûtons les prés, croquons le potager.

Plus tard, éblouis et saisis d'une douce torpeur, on quittera la table à regret après avoir salué nos hôtes. Les derniers mots de Denis Fétisson retentissent encore en nous : « La cuisine en Provence est une fête, faisons de ces moments privilégiés un véritable bonheur. » |

12 produits

Les produits à l'honneur

Suivre Denis Fétisson au marché, c'est un voyage et une histoire humaine. Derrière leurs étals, les maraîchers emmitouflés en ce petit matin soufflent dans leurs mains pour se réchauffer. Lui évolue dans les allées, suit un itinéraire précis, avec l'assurance de celui qui sait ce qu'il veut. Le meilleur. Tout en balayant les cagettes d'un regard expert, il explique à mi-voix : « Bien acheter, c'est la base. » L'heure n'est pas encore à la poésie de la cuisine. Concentration et rigueur sont de mise. Il furète, soupèse, palpe, hume en fermant les yeux. Il hésite, repose le légume, en choisit un autre. Ici, on est entre gens de la terre, sans fard pour maquiller la vérité du produit. Le tutoiement est de mise. « Je préférais ceux de la semaine dernière, tu sais, les beaux, bien fermes... Moi je veux des produits que j'aie plaisir à travailler. » Le producteur a compris. Un clin d'œil complice et il l'emmène derrière la toile, au cul de la camionnette. Le visage du cuisinier s'illumine ; il saisit trois bottes, exprime sa satisfaction, demande des nouvelles de l'épouse de l'agriculteur, commente brièvement en souriant, prend congé et passe au banc du poissonnier. Un bonjour rapide, il plonge déjà la main dans une bourriche de belons, en ouvre deux, vérifie qu'elles se referment bien, opine pour donner son accord. Le mareyeur lui glisse d'un air entendu : « Je t'ai mis de côté un beau loup sauvage de cinq kilos, ça te tente ? » Le chef réfléchit rapidement : « Montre ! » Il observe attentivement le poisson, jauge l'œil, vérifie la rougeur des ouïes, avant de se laver les mains comme chez lui. « Je le prends, merci. » Plus loin, il interroge le boucher sur la traçabilité de son bœuf. Il s'enquiert, pointilleux, des origines de l'animal, de son mode d'alimentation. Chez le fromager, il discute affinage, évalue, juge la façon de rouler. Son mobile sonne. Tout en triant des champignons, il le coince contre l'épaule. Son second s'interroge sur l'amélioration de la nouvelle sauce aux gamberoni... « Essaie d'ajouter le jus d'un citron de Menton et un doigt de soja, ça lui donnera de la puissance. » Il raccroche, croise un autre chef de la région. On s'étreint, on échange quelques propos concis sur l'actualité de la profession et chacun repart. Un bref coup d'œil à sa montre. Une ombre furtive dans le regard trahit comme un regret. Il resterait des heures à entretenir ce lien social, à échanger avec ces hommes et ces femmes durs à la tâche qui lui offrent le meilleur de leur travail. On sent Denis Fétisson infiniment respectueux de la relation féconde et ingrate à la fois qu'ils ont nouée avec la terre. Il a été des leurs, là-haut dans ses collines. Il sait la patience, les gerçures des doigts l'hiver, les douleurs du

dos trop souvent courbé, la lassitude quand un méchant mistral sèche la récolte sur pieds. « Tu sais, chaque produit est une rencontre humaine... » Il se reprend : « Allez, c'est pas tout, on m'attend là-bas ! »

Une heure plus tard, changement de rythme. Dans la cuisine rutilante, c'est le coup de feu. La brigade vêtue de gris s'y affaire en un ballet bien réglé. Qui tranche, cuit, mixe, râpe, rôtit et dispose avec application. Au passe-plat, le chef goûte, assure lui-même le dressage final, cherche l'épure avant d'envoyer. Appliqué à sa tâche, il prend néanmoins la peine d'expliquer : « J'aime faire travailler les paysans du cru, respecter les saisons, donner des repères aux gastronomes, surprendre mes convives avec un vrai produit, travaillé de belle façon. Une cuisson juste suffit, tu vois, sans chercher la complication... » Il s'interrompt. « Ajoute-moi une pincée de poudre d'herbes de nos collines, là, ça va donner de la longueur ! » Il encourage, souvent. Retoque, parfois. S'émerveille, encore et toujours. « C'est un privilège d'avoir quatre saisons. Elles nous offrent l'opportunité de galvaniser notre créativité et, sur la fin, nous invitent à passer en douceur à la suivante. » Si pour Mozart, « la musique, c'est faire se réunir des petites notes qui s'aiment », Fétisson vibre à l'unisson, bien qu'il exerce ses gammes sur un autre piano. « Regarde comme les légumes primeurs se marient en jardinières printanières. Comme la tomate, l'aubergine et la courgette violon s'harmonisent dans nos assiettes estivales. À quel point les cèpes et les gibiers se complètent à l'automne. Et comme l'iode de la Saint-Jacques, l'amertume du chocolat noir et la puissance de la truffe évoquent la gourmandise d'un hiver au coin du feu. La nature nous donne le ton, pas question de la contrarier. »

S'il ne perd jamais le nord, Denis Fétisson est avant tout un fils du Sud. À la fois respectueux du travail des anciens et un rien impertinent, il vit avec le terroir méditerranéen une passion qui leur ressemble à tous deux : à la fois fougueuse, intense et théâtrale. Mais également sensible et tout en nuances. Sa cuisine raconte les saveurs contradictoires de cette région plurielle. Celles d'un soleil généreux, omniprésent, dont la lumière inonde les assiettes, qui donne leur couleur aux crudités, leur tendresse aux agneaux, leur énergie aux fruits d'ici, leur parfum aux herbes aromatiques des garrigues. Et d'une mer rafraîchissante qui fait s'épanouir loups de mer, gamberoni et mollusques à la chair délicate et iodée. Celles d'une Italie trépidante où chantent les goûts explosifs de pizza aux truffes, fromages de caractère, fleurs de courgettes farcies et citrons confits. D'une Provence où s'épanouissent les parfums percutants de l'huile d'olive, des cébettes, du thym et de la lavande. D'un Maroc où dansent les langueurs des épices, des figues, des feuilles de brick et du miel. Celles, enfin, qui racontent les gens d'ici, tour à tour excessifs et attachants.

Finalement, les produits mis à l'honneur par Denis Fétisson, c'est le partage d'une belle aventure humaine auquel nous sommes conviés. |

janvier

la truffe noire

Mystérieux diamant de cuisine

Ténébreux, ensorcelant, entouré d'un parfum de mystère venu
du fond des âges, ce tubercule crevassé règne en souverain
sur les tables d'hiver.

La truffe est appréciée depuis les pharaons d'Égypte, mais c'est à
la Renaissance seulement, à la table de François Ier, qu'elle apparaît
pour la première fois en France. *Tuber melanosporum*, la truffe noire,
du Périgord ou de Provence, est une coquette qui sait se faire désirer.
Majoritairement originaire du sud-est de la France dont elle apprécie
le terrain calcaire et la chaleur, elle vit en symbiose avec un arbre tel
que le chêne pubescent ou le chêne vert, qui lui apporte les éléments
azotés nécessaires à son développement. Exigeante, il lui faut un sol
profond, perméable, granuleux, aéré par les vers de terre et les taupes.
De l'eau, notamment en été, mais juste ce qu'il faut pour éviter de
pourrir. Du soleil mais pas trop, sinon il brûlerait les mycorhizes. Un peu
de froid à la fin de l'automne pour favoriser la maturation. Des saisons
bien marquées. Peu de prédateurs, sinon les blaireaux ou les sangliers
qui s'en régalent.

Il faut tailler les arbres-hôtes pour que l'eau de pluie arrive au pied, que
l'air circule entre les branches, qu'ils ne se fassent pas d'ombre entre
voisins. Entretenir le terrain, l'aérer, broyer l'herbe, et ce pendant douze
ans. Même en saison, de la mi-novembre à la fin mars, la truffe reste
capricieuse, échappe à ses admirateurs là où ils l'attendaient et apparaît
où on ne l'espérait plus. Repérée, ou « cavée », par des mouches,

un cochon ou un chien truffier, elle est extraite à 15 centimètres de profondeur. Le ramasseur s'aide d'un piolet, le *cavadou*, en essayant de ménager les couches de sol pour que le mycélium génère d'autres pépites les années suivantes. Chacun son secret. En Provence, une truffière, c'est comme une source : « ça se dit pas ».

« Champignon du Diable, noir comme l'âme d'un damné » pour l'Église qui craignait la contagion du péché de gourmandise, elle fut réhabilitée par Brillat-Savarin qui la qualifia de « diamant de la cuisine ». Pour Denis Fétisson, le fils des collines provençales, la truffe est une complice de longue date à laquelle il rend les honneurs. Il en capte le parfum en la mettant au contact de produits gras – fromages, crèmes, huiles –, d'œufs, de boudin blanc, sans la dénaturer par une cuisson à trop haute température. Foin des recettes compliquées du temps jadis qui les cuisaient entières sous la cendre, les préparaient braisées au champagne ou étuvées à la crème. Denis Fétisson la travaille fraîche, délicatement râpée à la mandoline. Qu'il la dépose en copeaux sur ses fines ravioles de pomme de terre, l'ajoute hachée aux jaunes d'œufs de son omelette mousseline, la garnisse en julienne, incorpore de l'huile de truffe noire aux blancs d'œufs de son Golden Egg, fasse cuire le *risetti* dans le jus de truffe comme un risotto en accompagnement de son suprême de volaille à la florentine, la présente en cubes de décoration ou la serve en dessert, piquée en bâtonnets sur des tubes de pomme golden étuvée, c'est d'une communion avec la nature qu'il s'agit. D'une fête païenne dont la grande prêtresse serait l'étrange tubercule. Jusqu'aux tables voisines flottent alors le parfum entêtant, l'arôme pénétrant, les fragrances épicées et la saveur généreuse, presque violente, de celle qui règne désormais sans partage sur notre âme... |

golden egg
en crémeux de truffe

entrées
4 personnes

01/ 2 œufs
25 cl de crème liquide
20 g de truffes noires hachées
15 g de beurre
4 coquilles d'œufs dorées
2 cl de jus de truffe noire
Sel

02/ 2 blancs d'œufs
5 cl d'huile de truffe noire
Sel

03/ 4 bâtonnets de truffe noire
(soit 20 g)
Huile d'olive Château Virant
Fleur de sel de Camargue

01/ **golden egg**
Dans une casserole, battre les œufs, ajouter la crème et cuire à petit feu en remuant constamment avec un fouet jusqu'à épaississement (comme une crème anglaise) ; le mélange doit être lisse et onctueux. Ajouter ensuite le beurre, le jus de truffe et la truffe hachée puis rectifier l'assaisonnement. Filmer et réserver sur le coin du feu.

02/ **siphon de blanc d'œuf**
Monter à la main les blancs d'œufs, ajouter l'huile de truffe noire et le sel puis mettre dans un siphon avec deux cartouches.

03/ **finition et dressage**
Disposer une coquille d'œuf dorée sur un coquetier, verser le Golden Egg chaud aux trois quarts puis dresser délicatement le siphon de blanc d'œuf dessus. Lustrer les bâtonnets de truffe à l'huile d'olive Château Virant, les passer à la salamandre puis assaisonner de fleur de sel. Les disposer sur l'œuf et déguster de suite.

la truffe noire
janvier

fines ravioles de pomme de terre aux truffes

pâtes
4 personnes

01/ **pâte à raviole**
500 g de farine type 00
5 œufs
10 g de truffes hachées
5 g de sel fin

farce de pommes de terre
750 g de pommes de terre Agria
50 g de beurre
1 jaune d'œuf
10 g de truffes noires hachées
1 kg de gros sel
Sel
Poivre blanc du moulin

02/ 30 cl de lait entier
7,5 cl de crème liquide
7,5 cl de bouillon de volaille
2 cl de jus de truffe noire
50 g de beurre
Sel, poivre

03/ 4 artichauts Macau
200 g d'oignons blancs
1 gousse d'ail
10 cl de vin blanc
40 cl de fond blanc de volaille
5 cl de crème liquide montée
50 g de beurre
Sel, poivre

04/ 50 g de truffes noires
Huile d'olive
Fleur de sel

01/ **fines ravioles**
pâte à raviole / Dans la cuve d'un batteur, mélanger la farine, les œufs, la truffe hachée et le sel. Mettre sous vide afin de bien serrer la pâte et pouvoir la travailler plus facilement.
farce de pommes de terre / Laver les pommes de terre (ne pas les éplucher), les poser sur un tapis de gros sel et les cuire au four à 180 °C. Une fois fondantes (compter 45 minutes), les couper en deux et passer la chair au tamis. Récupérer 500 g de pulpe de pommes de terre et la dessécher dans un sautoir sur le feu. Ensuite, hors du feu, ajouter le beurre, le jaune d'œuf, bien mélanger et finir avec la truffe hachée. Rectifier l'assaisonnement.
réalisation des fines ravioles / Étaler la pâte le plus fin possible et la couper en deux grands rectangles. Disposer la farce de pommes de terre en petits tas sur une des deux pâtes, recouvrir de la seconde pâte et les souder à l'aide d'un emporte-pièce de 5 cm de diamètre sans les couper. Découper la pâte à l'aide d'un emporte-pièce cannelé de 6 cm de diamètre pour former les ravioles et réserver au frais.

02/ **sauce tartuffe**
Dans une sauteuse, verser le lait, la crème, le bouillon de volaille, porter à ébullition puis ajouter le beurre et le jus de truffe noire. Assaisonner et réserver à température ambiante.

03/ **purée d'artichauts**
Tourner les artichauts Macau, retirer le foin, réserver dans de l'eau citronnée. Éplucher les oignons blancs et la gousse d'ail, faire revenir le tout au beurre sans coloration, puis ajouter les artichauts émincés. Mouiller avec le vin blanc et le fond blanc de volaille et cuire jusqu'à ce que les artichauts soient fondants. Ensuite, égoutter les artichauts émincés, mixer avec un peu de jus de cuisson, passer au chinois étamine et laisser refroidir. Ajouter la crème montée et rectifier l'assaisonnement.

04/ **finition et dressage**
Cuire les ravioles 4 minutes dans une eau salée à 90 °C, les égoutter puis les passer dans un bol contenant de l'huile d'olive. Les disposer ensuite dans l'assiette, ajouter la fleur de sel dessus. Disposer autour des ravioles la purée d'artichauts. À l'aide d'un mixer plongeant, émulsionner la sauce tartuffe. Récupérer l'écume formée au-dessus, la disposer à côté des ravioles puis râper la truffe noire dessus. Finir par des lamelles de truffe.

la truffe noire
janvier

omelette mousseline aux truffes, merlu sauvage au court-bouillon

poissons
4 personnes

01/ 4 pavés de merlu sauvage
de 80 g chacun
1 l de fumet de poisson
200 g de gros sel

02/ 4 œufs
8 cl de fond blanc
5 cl d'huile de truffe noire
20 g de truffes noires hachées
40 feuilles de pousses d'épinard
100 g de beurre
2 gousses d'ail
Sel, poivre

03/ 4 jaunes d'œufs
8 cl de fond blanc de volaille
150 g de beurre
1 citron jaune
50 g de purée de tomates
confites
Sel, poivre

04/ 20 g de citron caviar
20 g de truffes noires en cubes

01/ **merlu**
Enlever la peau des pavés de merlu, mettre au gros sel 5 minutes puis dessaler et rincer sous l'eau claire. Chauffer le fumet de poisson à 60 °C, y plonger le poisson et le cuire jusqu'à une température de 52 °C à cœur.

02/ **omelette mousseline aux truffes**
Faire fondre le beurre dans une casserole, ajouter les gousses d'ail écrasées et laisser infuser. Séparer les jaunes et les blancs d'œufs dans deux culs de poule différents. Assaisonner les jaunes d'œufs, ajouter le fond blanc ainsi que l'huile de truffe noire, mélanger et monter dans un bain-marie comme un sabayon sans trop le cuire, puis ajouter la truffe noire hachée. Monter les blancs d'œufs en neige avec une pincée de sel et mélanger délicatement les deux appareils, vérifier l'assaisonnement. Verser dans une poêle à blinis juste chaude. Une fois le dessous coloré, passer sous le gril puis retourner l'omelette. La garnir de pousses d'épinard massés au beurre aillé.

03/ **sabayon tomaté au siphon**
Faire fondre le beurre dans une casserole, le clarifier et réserver. Battre dans un cul de poule au bain-marie les jaunes d'œufs avec le fond blanc puis monter en sabayon. Incorporer délicatement le beurre clarifié ainsi que la purée de tomates confites et le jus du citron puis assaisonner. Mettre en siphon avec une cartouche de gaz. Réserver à température ambiante.

04/ **finition et dressage**
Disposer le pavé de merlu sur le côté droit de l'assiette, et l'omelette mousseline de l'autre côté. Parsemer délicatement des points de sabayon tomaté et disposer sur chaque point un cube de truffe. Finir par quelques perles de citron caviar sur le pavé de merlu.

suprême de volaille à la florentine, risetti aux truffes et jus corsé

viandes
4 personnes

01/ **volaille**

1 volaille de Racan de 1,2 kg
1 branche de thym
de Saint-Julien-le-Montagnier
25 g de truffes en bâtonnets
Sel, poivre

farce

200 g de blanc de volaille
15 cl de crème liquide
25 g de foie gras cuit
25 g de morilles séchées
(à mettre à tremper la veille)
15 g d'échalotes ciselées
5 cl d'armagnac
25 g de truffes hachées
20 g de beurre
Sel, poivre

01/ **suprême de volaille**

volaille / Vider et flamber la volaille. Réserver les abats pour la farce. Assaisonner les suprêmes de volaille de sel, de poivre et de thym puis les colorer dans un sautoir. Refroidir puis cuire sous vide à 68 °C vapeur jusqu'à une température à cœur de 64 °C. Refroidir et réserver.
farce / Réaliser une farce fine de volaille en mixant le blanc de volaille et la crème bien froide, assaisonner puis passer au tamis, ajouter ensuite le foie gras, les abats taillés en dés, les morilles hachées revenues au beurre avec les échalotes ciselées et flambées à l'armagnac, puis la truffe hachée. Bien mélanger.
cuisses farcies / Désosser entièrement les cuisses de volaille puis les aplatir entre deux feuilles de papier sulfurisé. Assaisonner, disposer la farce au centre, les bâtonnets de truffe dessus puis rouler en cylindre dans du papier film. Placer sous vide et cuire au four vapeur à 70 °C pendant 1 h 30. Refroidir après cuisson.

02/ béchamel

12 g de beurre
12 g de farine
12,5 cl de lait entier
1 noix de muscade
Sel, poivre

croûte florentine

150 g d'épinards branches cuits
40 g de mortadelle
en fine brunoise
15 g de parmesan râpé
10 g de jaune d'œuf
20 g de beurre
1 gousse d'ail
Sel, poivre

03/

10 cl de jus de volaille
20 g de truffes hachées
2 cl d'huile de truffe noire

04/

100 g de risetti
5 cl de jus de truffe
15 cl de fond blanc de volaille
25 g de parmesan râpé
25 g de truffes hachées
10 cl de crème liquide
100 g de purée d'artichauts
10 g de beurre
Sel, poivre

05/

50 g de truffes noires

02/ **florentine d'épinard**

Réaliser la béchamel : faire fondre le beurre sans coloration puis ajouter la farine, cuire 2 minutes puis verser le lait froid. Cuire jusqu'à l'ébullition en remuant constamment. Assaisonner et râper la noix de muscade à convenance puis refroidir. Tomber les épinards au beurre avec une gousse d'ail, égoutter et bien presser pour retirer l'excédent d'eau. Hacher finement, mélanger à 150 g de béchamel froide, ajouter la brunoise de mortadelle, le parmesan râpé ainsi que le jaune d'œuf. Mélanger délicatement. Rectifier l'assaisonnement. Étaler entre deux feuilles de papier sulfurisé sur une épaisseur de 5 mm puis faire prendre au congélateur. Tailler ensuite de la même dimension que les suprêmes de volaille**.**

03/ **jus de volaille**

Faire infuser les truffes hachées dans le jus de volaille et l'huile de truffe noire.

04/ **risetti aux truffes**

Nacrer le risetti au beurre, mouiller au jus de truffe et au fond blanc de volaille comme pour un risotto, ajouter la crème, réduire puis lier avec la purée d'artichauts (voir la recette « Fines ravioles de pomme de terre aux truffes »), une noix de beurre, le parmesan râpé et la truffe hachée. Rectifier l'assaisonnement.

05/ **finition et dressage**

Saisir les suprêmes au beurre sur le coffre, les lever puis les couper en deux. Disposer une croûte d'épinard sur chacun d'eux et gratiner sous la salamandre. Tailler des rouelles de cuisse, les colorer d'un seul côté, lustrer au beurre fondu. Disposer au centre de l'assiette le suprême de volaille à la florentine, la rouelle sur le côté et réaliser des petites quenelles de risetti autour. Réaliser des larmes de jus de volaille et râper de la truffe à souhait sur le risetti.

**suprême de volaille
à la florentine,
risetti aux truffes
et jus corsé**

**desserts
4 personnes**

01/ 2 jaunes d'œufs
65 g de sucre semoule
75 g de beurre doux
1,5 g de sel
100 g de farine type 45
7,5 g de levure chimique

02/ 6 pommes golden
100 g de miel
100 g de beurre demi-sel
Pétales de truffe
1 g d'huile de truffe

03/ 25 g de lait entier
25 g de crème
à 35 % de matière grasse
75 g de jaunes d'œufs
90 g de sucre
2 gousses de vanille

04/ 115 g de fondant
75 g de glucose
Poudre d'or

05/ 240 g de pommes granny-smith
100 g d'eau
30 g de sucre
10 g de jus de citron

06/ Gelée d'or
Bâtonnets de truffe
Meringue

pommes golden étuvées aux truffes et beurre demi-sel

01/ **sablé breton**
Dans la cuve d'un batteur, faire mousser les jaunes avec le sucre, ajouter le beurre ramolli, mélanger avec le sel. Incorporer la farine tamisée avec la levure chimique. Étaler très finement entre deux feuilles de papier cuisson, détailler en rectangles de 3,5 cm de large et 10 cm de long, puis cuire au four à 160 °C, 6 minutes de chaque côté.

02/ **tube de pomme**
Couper les deux extrémités des pommes, puis tailler les tubes à l'aide d'un vide-pomme de 5 cm de longueur. Faire bouillir le miel avec le beurre dans une casserole, puis verser dans les sacs cuisson garnis de tubes de pomme et de pétales de truffe, puis ajouter l'huile de truffe. Cuire sous vide à la vapeur 10 minutes à 100 °C. Pour le service, faire chauffer avec le jus de cuisson.

03/ **crème glacée à la vanille**
Faire bouillir le lait et la crème. Y faire infuser les gousses de vanille fendues en deux pendant 5 minutes. Verser un tiers du lait vanillé sur les jaunes d'œufs mélangés avec le sucre, puis reverser dans la casserole et cuire à 83 °C. Passer ensuite au chinois étamine, refroidir, mixer, maturer et turbiner.

04/ **cristalline de pomme dorée**
Chauffer le glucose avec le fondant dans une casserole, et cuire à 155 °C. Refroidir, mixer en poudre. Tamiser sur une feuille Silpat légèrement graissée, réaliser la forme de pomme à l'aide d'un pochoir puis passer quelques instants au four à 180 °C. Tremper la queue des cristallines dans la poudre d'or puis stocker à l'abri de l'humidité.

05/ **compote de pommes**
Préparer un sirop avec le sucre, l'eau et le jus de citron, le faire bouillir puis ajouter les pommes coupées en quartiers. Cuire à couvert lentement, passer au chinois et mixer.

06/ **finition et dressage**
Sur le côté de l'assiette, réaliser une larme de gelée d'or à l'aide d'un cercle. Disposer un sablé breton au centre de l'assiette, ajouter dessus de la compote de pommes puis les tubes de pomme décorés des deux cristallines et des bâtonnets de truffe. De l'autre côté de l'assiette, disposer une quenelle de glace vanille sur de la meringue.

février

le citron de Menton

Un fruit d'or et de soleil

Rebondi, joufflu, doré à point, il éveille déjà la convoitise. La légende raconte qu'Adam et Ève, chassés du Paradis, emportèrent avec eux ce fruit magnifique, cherchèrent longtemps le lieu le plus enchanteur pour le planter, et choisirent Menton qui leur rappelait l'Eden perdu…

Le fait est que cet agrume à la livrée jaune vif a trouvé ici sa terre d'élection. Sur ce littoral méditerranéen doté d'un climat tempéré, quasi exempt de gel en dessous de 400 mètres, il pousse sur des terrains en terrasses ou « restanques », protégé par des montagnes grimpant jusqu'à 1 200 mètres d'altitude et qui bloquent les vents du nord. Un important écart de température entre jour et nuit provoque une forte humidité qui arrose le sol calcaire. La culture et le commerce du citronnier, l'un des rares arbres à produire des fruits toute l'année, prospèrent dès le XVe siècle sur ces rivages. Au fil des siècles, le *citrus limon* acclimaté ici est devenu une variété botanique à part entière. La campagne mentonnaise se couvre rapidement d'une véritable forêt dont Stephen Liégeard, inventeur de l'appellation Côte d'Azur en 1887, chante « les petits vallons laissant aux brises le soin de secouer sur le passant les capiteux parfums des citronniers ». La région comptait alors 80 000 arbres, dont les fruits récoltés par les « limoneuses » et emballés dans du papier de soie de Gênes partaient en bateau vers l'Europe du Nord et l'Amérique. Mais l'explosion du tourisme sur la Riviera française, son impact sur le foncier, deux attaques de gel au XXe siècle et l'apparition d'insectes et champignons prédateurs due au réchauffement climatique ont considérablement réduit son

exploitation. Ils ne sont plus qu'une quinzaine d'agrumiculteurs à cultiver le citron de Menton aujourd'hui, produisant une centaine de tonnes par an...

Cette rareté en confine l'usage aux grandes tables françaises qui se partagent l'essentiel de la récolte. Denis Fétisson, qui joue ici à domicile, bichonne les fournisseurs qui l'approvisionnent en fruits issus d'une agriculture raisonnée et de proximité, 100 % naturels, sans aucune adjonction de gélifiant, conservateur ou produit chimique, rigoureusement sélectionnés, et cueillis à maturité. Tout en grattant l'écorce d'un spécimen dont le parfum sensuel s'envole, le chef nous avoue une passion pour les particularités aromatiques de cet ingrédient typique du terroir : « Le véritable citron de Menton est plus gros que les autres et sa teneur en sucre est quatre fois supérieure. Il n'est pas aigre, sa peau est si douce et épaisse qu'on peut la déguster au couteau. Il offre des qualités olfactives et gustatives qui en font une expérience unique au monde. »

Denis Fétisson adore jouer des contrastes entre la douceur et l'acidité de ce citron rare. Qu'il en marine de belles tranches dans l'huile d'olive, arrose son beurre d'algues d'un jus généreux, râpe un zeste concentré en huiles essentielles sur le filet de feuilles de citronnier qui entoure sa lotte marinée au sel, les gourmets raffolent de son parfum délicat, à la fois doux et frais, comme de la texture de sa pulpe épaisse.

Pour Denis, « chaque produit est une rencontre humaine ». Alors il emploie parfois sa botte secrète : une noisette de Pitacou de Tante Fine au citron de Menton tradition, une crème aromatique artisanale, à la fois délicate et puissante, qui restitue intégralement les saveurs du fruit. Sa texture onctueuse et complexe offre une subtile acidité aux poissons et crustacés, apporte une franchise de goût aux viandes et une fraîcheur intense aux pâtisseries. Une vertu que Pascal Giry, le sorcier du sucré, met à profit dans une version toute personnelle de la tarte au citron. Cet inventeur impénitent présente une coque de meringue garnie de crémeux citron allégé, dressée à côté d'un croustillant au pralin et ses deux quenelles de sorbet arrosées de gelée de citron vert. Une gourmandise en forme d'hommage au fruit d'or qui illumine de son soleil les tables de l'hiver. |

cannellonis de King crabe, citron indien en corolle

entrées
4 personnes

01/ **cannellonis**
325 g de Saint-Jacques
1/2 gousse de vanille
Sel fin
farce de King crabe
200 g de chair de King crabe
1/2 botte d'aneth
Le zeste d'un demi-citron
Piment d'Espelette
20 g de mayonnaise
Beurre de homard
Sel fin

02/ 250 g de céleri boule
50 cl de crème fraîche
1 l de lait entier
3 feuilles de gélatine
Sel, poivre

03/ 50 g de beurre
25 g d'algues
Le jus d'un demi-citron jaune
Sel

04/ 2 carcasses de homards
100 g de beurre

05/ 25 cl d'eau
125 g de sucre semoule
1 citron indien (jus et zeste)
2,5 feuilles de gélatine

06/ Feuilles de ficoïde glaciale
Corolles de citron indien
10 g de caviar d'œufs
de hareng fumé

01/ **cannellonis**
Mixer les Saint-Jacques au Thermomix puis passer au tamis. À l'aide d'une maryse, y incorporer les graines de vanille et saler. Étaler sur un Silpat puis cuire au four vapeur à 80 °C pendant 1 minute.
farce de King crabe / Dans un cul de poule, lier la chair émiettée de King crabe avec la mayonnaise puis incorporer l'aneth haché très finement, le zeste d'un demi-citron, le piment d'Espelette puis le beurre de homard. Saler et réserver au frais.

02/ **mousse de céleri**
Éplucher et tailler en gros cubes le céleri puis le cuire 18 minutes dans de l'eau et du lait pour garder une belle couleur blanche. Faire tremper les feuilles de gélatine dans de l'eau froide puis réserver. Après cuisson du céleri, le mixer dans une cuve de Thermomix avec la crème. Faire chauffer puis incorporer au fouet les feuilles de gélatine ramollies. Verser dans un siphon avec trois cartouches de gaz. Réserver au frais.

03/ **beurre d'algues**
À l'aide d'un fouet, travailler le beurre au bain-marie jusqu'à obtenir une texture pommade, y incorporer les algues et le jus de citron puis saler.

04/ **beurre de homard**
Nettoyer les carcasses de homards sous l'eau froide puis les colorer au four 8 minutes à 180 °C. Les poser ensuite dans un rondeau et ajouter le beurre. Laisser cuire 10 minutes à feu doux puis passer au chinois fin.

05/ **gelée de citron indien**
Porter l'eau et le sucre à ébullition. Ajouter le jus et le zeste du citron. Mettre à tremper les feuilles de gélatine dans de l'eau froide pendant 10 minutes puis les incorporer au fouet dans le sirop. Couler la gelée sur un plateau puis réserver au frais.

06/ **finition et dressage**
Placer la farce de King crabe dans une poche à douille, réaliser des rouleaux puis les découper en tronçons de 4 cm de longueur. Détailler des bandes de Saint-Jacques de 4 cm de largeur puis y enrouler les rouleaux de King crabe. Disposer trois cannellonis dans l'assiette. Réaliser des points de beurre de homard et des points de beurre d'algues. Disposer de la mousse de céleri en plusieurs points et poser des cubes de gelée de citron indien et le caviar de hareng dessus. Disposer des feuilles de ficoïde glaciale et des corolles de citron indien.

fines ravioles végétales de citron, panais et velouté de Paris maniguette

pâtes
4 personnes

01/ 3 panais
20 cl de crème liquide
50 g de beurre
50 cl de lait entier
50 cl d'eau
Sel, poivre

02/ 1 citron de Menton
Huile d'olive Château Virant
Fleur de sel
Feuilles d'huître végétale

03/ 250 g de champignons de Paris
25 g de beurre
15 cl de fond blanc
50 cl de lait entier
15 cl de crème liquide
Sel
20 g de poivre maniguette

01/ **purée de panais**
Éplucher les panais, les détailler en gros cubes et les cuire dans de l'eau et du lait pour garder leur belle couleur blanche. Égoutter.
À l'aide d'un robot coupe, mixer les panais avec la crème et le beurre. Assaisonner et réserver au frais.

02/ **raviole ouverte**
À l'aide d'une machine à jambon, couper le citron en tranches de 1 mm d'épaisseur. Les disposer sur une plaque filmée puis les badigeonner d'huile d'olive Château Virant et parsemer de fleur de sel.

03/ **émulsion champignons de Paris**
Faire revenir les champignons de Paris dans le beurre puis mouiller avec le fond blanc, le lait et la crème puis cuire le tout 20 minutes.
Ajouter le poivre maniguette, mixer le tout puis chinoiser. Assaisonner.

04/ **finition et dressage**
Disposer une cuillerée de purée de panais et une feuille d'huître au centre de chaque tranche de citron de Menton. Replier les tranches sur elles-mêmes et les disposer dans l'assiette.
À l'aide d'un mixer plongeant, émulsionner la préparation aux champignons de Paris, récupérer l'écume et la disposer sur l'assiette.

tronçon de lotte aux feuilles de citronnier, risotto de pommes rattes

**poissons
4 personnes**

01/ 1 queue de lotte
15 feuilles de citronnier
1/2 botte d'aneth
1 zeste de citron
200 g de gros sel

02/ 30 g de poivron rouge
30 g de fenouil
40 g de citron confit
5 g de ciboulette
20 g d'anchois
5 g de sésame blanc
5 g de sésame noir
10 cl d'huile d'olive
Sel, poivre

03/ 8 pommes de terre rattes
1 l de fond blanc de volaille
100 g de crème montée
Du parmesan
50 g de crème d'artichaut
10 g de beurre
Sel, poivre

04/ 2 pommes de terre grenailles
1 betterave shoggia
Huile de friture
Huile d'olive
Fleur de sel

01/ **lotte**
Faire mariner la queue de lotte au gros sel pendant 15 minutes, rincer sous un filet d'eau froide puis l'enrouler de feuilles de citronnier, d'aneth et de zeste de citron. La placer dans du papier film et lui donner une forme de rouleau.
Détailler le rouleau en portions puis cuire à la vapeur à 56 °C jusqu'à 48 °C à cœur.

02/ **vinaigrette aux petits appétits**
Éplucher et tailler une fine brunoise de poivron rouge, fenouil, citron confit et anchois. Ciseler finement la ciboulette.
Dans un cul de poule, mélanger tous les ingrédients de la vinaigrette en terminant par l'huile d'olive à hauteur. Assaisonner puis réserver au frais.

03/ **risotto de pommes rattes**
Laver, éplucher les pommes de terre rattes puis les tailler en fine brunoise. Cuire les pommes de terre dans le fond blanc de volaille, comme un risotto. Ajouter la crème montée puis lier au parmesan, beurre et crème d'artichaut. Assaisonner.

04/ **finition et dressage**
Disposer la lotte au centre de l'assiette. À l'aide d'un emporte-pièce, disposer trois cercles de risotto de pommes rattes autour de la lotte.
Réaliser des petits points sur l'assiette avec la vinaigrette aux petits appétits.
À l'aide d'une machine à jambon, couper très finement des tranches de pomme de terre, les blanchir puis les frire à 180 °C. Assaisonner en sortie de cuisson.
Tailler à la mandoline de fines tranches de betterave shoggia puis les faire mariner dans de l'huile d'olive et de la fleur de sel.
Disposer les éléments de décoration sur l'assiette.

quasi de veau, tortellini de potimarron aux citrons

viandes
4 personnes

01/ 2,5 kg de quasi de veau
Piment d'Espelette
1 citron
Sel, poivre

02/ **pâte**
500 g de farine
1,5 œuf
20 cl d'eau
5 pistils de safran de Provence
2,5 g de sel fin
farce
2 potimarrons
45 g de beurre
2 citrons poires
Sel fin

03/ 10 cl de jus de veau
1 poivron rouge
5 cl de crème montée

04/ 1 citron jaune bio
Sirop à 30 °B
(1 l d'eau pour 550 g
de sucre semoule)

05/ 20 feuilles de pousses d'épinard
2 cl d'huile d'olive
1 gousse d'ail
Fleur de sel

01/ **quasi de veau**
Parer le quasi de veau, saler, ajouter le piment d'Espelette et les zestes de citron râpés puis le rouler dans du papier film afin d'obtenir une forme régulière. Cuire le quasi de veau sous vide au four vapeur à 63 °C jusqu'à 58 °C à cœur puis le couper en pavés.

02/ **tortellini**
pâte / Dans une casserole, porter l'eau à ébullition, ajouter le safran, laisser infuser puis refroidir. Dans la cuve d'un batteur, mélanger la farine, les œufs, l'eau safranée et le sel fin puis mélanger à la feuille jusqu'à obtenir une pâte homogène. Passer la pâte au laminoir à main afin qu'elle soit la plus fine possible et la détailler en carrés de 8 cm de côté.
farce / Vider les potimarrons, tailler la chair en gros cubes et cuire à l'eau bouillante salée 12 minutes. Égoutter, mixer puis passer au chinois fin pour obtenir une purée très lisse. Ajouter ensuite les zestes et le jus des citrons poires. Lisser au beurre et saler.
réalisation des tortellini / Disposer de la farce au centre de chaque carré de pâte. Replier afin de former un triangle, souder avec de l'eau, puis replier les deux pointes extérieures afin de donner une forme de tortellini. Réserver au frais. Pour la cuisson, plonger les tortellini dans une eau salée à 90 °C pendant 4 minutes.

03/ **jus de veau**
Réaliser un jus de veau corsé, ajouter une brunoise de poivron rouge puis trancher le jus avec de la crème montée juste avant de servir.

04/ **chips de citron**
Tailler des tranches de citron jaune très fines, les tremper dans un sirop à 30° puis les cuire au four 1 heure à 70 °C.

05/ **finition et dressage**
Rôtir les pavés de quasi de veau au beurre, les disposer au centre de l'assiette puis dessiner un cordon de jus de veau autour. Dresser les tortellini sur le jus de veau. Déposer une chips de citron sur le côté du quasi de veau. Masser les pousses d'épinard avec de l'huile d'olive et une gousse d'ail écrasée, assaisonner de fleur de sel et disposer dans l'assiette.

citron de Menton en coque de meringue, mikado acidulé cristallisé, lait glacé au citron bergamote

**desserts
4 personnes**

01/ 200 g de blancs d'œufs
200 g de sucre semoule
200 g de sucre glace
Acide citrique

02/ 100 g de praliné
50 g de feuilletine
25 g de chocolat au lait
10 g de beurre

03/ 110 g d'œufs
100 g de sucre semoule
1/4 de zeste de citron râpé
100 g de jus de citron jaune
100 g de beurre
0,5 g de Maïzena
1/2 feuille de gélatine

01/ **coque de meringue et mikado**
Monter progressivement au batteur les blancs avec le sucre semoule. Incorporer le sucre glace à la maryse. En réserver un peu dans une poche à douille pour les mikados. Enduire de meringue les parois de moules Flexipan demi-sphériques de 4,5 cm de diamètre, puis lisser finement. Cuire au four à 50 °C environ 8 heures. Laisser les coques refroidir avant de les démouler. À l'aide de la poche à douille, détailler les mikados sur une plaque munie d'une feuille de papier cuisson puis les parsemer de sucre et d'acide citrique. Faire sécher au four à 50 °C pendant 6 heures.

02/ **croustillant praliné**
Dans un cul de poule et au bain-marie, faire fondre le chocolat et le beurre. Mélanger le praliné et la feuilletine. Mélanger les deux appareils. Étaler sur une plaque antiadhésive de 40 cm x 60 cm puis couper des rectangles de 2,5 cm x 1 cm.

03/ **crème citron**
Mélanger les œufs, le sucre semoule, le zeste, le jus de citron et la Maïzena. Faire cuire doucement en remuant par intermittence jusqu'à épaississement. Quand la crème citron atteint 60 °C, ajouter la gélatine et le beurre à l'aide d'un fouet. Réserver au frais en poche.

04/ **tube au citron vert**

Dans la cuve d'un batteur, monter les blancs en ajoutant progressivement le sucre semoule et le blanc en poudre. Ajouter le zeste à la spatule. Verser dans un cadre de 10 cm x 10 cm et de 2 cm de haut. Cuire 4 minutes au four à 80 °C. Découper ensuite des tubes à l'aide d'un emporte-pièce de 1 cm de diamètre.
Réserver au réfrigérateur.

05/ **lait glacé citron bergamote**

Chauffer l'eau et le lait à 50 °C, ajouter le sucre puis laisser refroidir. Verser ensuite sur le jus et le zeste de citron et l'arôme bergamote. Turbiner puis, à l'aide d'une cuillère à soupe, réaliser des quenelles de glace.

06/ **gelée de citron vert**

Ajouter le zeste de citron râpé finement dans la gelée neutre.

07/ **finition et dressage**

Placer sur un côté de l'assiette le croustillant praliné, poser dessus trois tubes au citron vert et deux quenelles de sorbet citron bergamote. Disposer trois gouttes de gelée citron vert autour. Remplir une coque de meringue avec de la crème citron et la placer au centre de l'assiette. Finir avec les mikados de meringue cristallisés.

04/ 125 g de blancs d'œufs
80 g de sucre semoule
1/2 zeste de citron vert très fin
1 g de blanc d'œuf en poudre

05/ 32 g de lait entier
32 g de sucre
32 g d'eau
32 g de jus de citron jaune
1/8 de zeste de citron jaune
Arôme bergamote

06/ 200 g de gelée neutre
3 zestes de citron vert

citron de Menton en
coque de meringue,
mikado acidulé
cristallisé, lait glacé
au citron bergamote

mars

l'asperge de Mallemort

Le choix du Roi

Connue depuis l'Antiquité pour ses vertus aphrodisiaques, l'asperge avait été dédiée par les Grecs à la déesse Aphrodite, et les Romains vantaient ce légume pour « la jouissance et l'amour ». On utilisait alors les racines, les pousses et les graines dans diverses préparations décrites dans les pharmacopées. En France, on ne vante la finesse de son goût que vers 1300. Elle s'impose dès la Renaissance comme un plat de fête et émigre dans les cales des navigateurs en Amérique du Nord. Louis XIV en raffole et exige de son jardinier d'en produire toute l'année dans le potager royal grâce à des abris et des serres chaudes. Cette préférence du souverain fit la gloire de celle que l'on baptisa « l'aristocrate des légumes ».

C'est une plante vivace, rustique, qui supporte la plupart des climats mais se complaît tout particulièrement sur les sols sableux qui se réchaufferont vite sous une exposition ensoleillée. En revanche, la belle se mérite car sa culture nécessite quatre années de labeur et de patience pour préparer le sol, creuser les tranchées, planter les griffes, niveler le terrain, couper les tiges sèches, biner, fertiliser, surveiller les prédateurs, traiter les insectes, enfin arroser avant de récolter délicatement les turions à l'aide d'une gouge que l'on enfonce profondément dans le sol à la fin de l'hiver.

Si c'est à Paris que Denis Fétisson découvrit les célèbres « asperges de monsieur Blanc » qu'il eut la fierté d'être le premier à proposer à sa carte dans la capitale, il se fournit désormais à Mallemort, au cœur de

la Provence, entre Durance et Luberon. Un terroir favorable à l'éclosion de légumes majestueux, très goûteux, à la pointe légèrement sucrée, récoltés à la main, calibrés un par un entre 24 et 28 mm et réservés aux tables d'exception.

Si, sensible à la saisonnalité des produits, le chef apprécie la fraîcheur des légumes printaniers, il voue un penchant particulier pour la noblesse, la fragilité, la saveur unique de ce produit emblématique, si dépendant de la météorologie : « Son travail nécessite une grande patience et beaucoup de respect. Autant que la truffe. Elle est tellement délicate qu'il n'est pas nécessaire de l'éplucher, mais juste d'en couper l'extrémité. Il faut ensuite la ficeler avec ses congénères pour les faire se tenir. Puis sa cuisson à la minute exige une précision extrême, à la verticale car la tête cuit plus vite que le pied. »

Le geste est précis, concentré, minutieux. Trop cuite, l'asperge perd sa finesse, trop crue, sa délicatesse. Le résultat est à la mesure des efforts. Une texture légèrement croquante, un goût un peu sucré qui se révèle en bouche. Fondante, glacée pour conserver sa couleur verte et réchauffée à la vapeur, elle révèle des saveurs subtiles une fois lustrée à l'huile d'olive, bardée d'une tranche de lard de Colonnata et saupoudrée de fève de tonka râpée. En émulsion avec un oignon ciselé et un poireau, elle apporte un contrepoint élégant à une fine raviole de châtaigne à l'essence de noisette. Farcie de saumon et de camerons marinés aux échalotes ciselées, à l'estragon haché et au cognac, elle révèle toute sa noblesse que vient souligner un trait de citron caviar. Et en point d'orgue de ce menu d'asperge, Pascal Giry le tentateur l'a imaginée en charlotte, tronçonnée en pétales légèrement confits, marinés dans le sirop, avec une mousseline à l'huile d'olive, versée en garniture espuma façon vinaigrette et déposée sur un sablé viennois à la pistache. |

l'asperge
de Mallemort
mars

belle asperge fondante, fine duxelles de Paris au vieux porto, voile de lardo di pancetta

**entrées
4 personnes**

01/ **asperge fondante
et fine duxelles**
4 asperges vertes de Mallemort
calibre 22
1 fève de tonka
1 citron vert
4 tranches de lardo di pancetta
Sel
Poivre blanc du moulin
duxelles
2 échalotes
2 cl d'huile d'olive
500 g de champignons de Paris
25 cl de porto blanc
5 cl de crème liquide

02/ 200 g de saucisse de Morteau
50 cl de lait entier
4 feuilles de gélatine

03/ 50 g de moût de raisin
2 cl de vinaigre de l'Estornell
1/2 botte de cerfeuil
1/2 botte d'aneth
8 cl d'huile d'olive Château Virant
Sel fin
Poivre du moulin

04/ 1 betterave rouge
50 g de Maïzena
Huile de friture
Sel

01/ **asperge fondante et fine duxelles**
Préparer la duxelles : ciseler les échalotes et tailler en fine brunoise les champignons de Paris. Faire suer les échalotes à l'huile d'olive, saler, poivrer puis ajouter les champignons. Faire évaporer l'eau de végétation, ajouter le porto puis faire réduire. Ajouter la crème, réduire à consistance épaisse. Éplucher les asperges, les ficeler puis les cuire à l'anglaise 3 minutes. Les refroidir dans une eau glacée. Découper un rectangle dans la longueur de la queue de l'asperge puis garnir l'emplacement avec la duxelles. Recouvrir avec le lardo et finir par la fève de tonka et le citron vert râpés.

02/ **mousse de lait**
Dans une casserole, faire infuser la saucisse de Morteau coupée en morceaux dans 25 cl de lait pendant 20 minutes à 80 °C. Retirer ensuite les morceaux de saucisse. Faire tremper les feuilles de gélatine dans de l'eau froide, bien les égoutter puis les ajouter au lait infusé. Dans un cul de poule posé sur de la glace, fouetter les 25 cl de lait restants afin d'obtenir une mousse de lait puis incorporer le lait infusé à petit filet. Laisser prendre au froid, puis découper en cubes.

03/ **vinaigrette au moût de raisin**
Concasser le cerfeuil et l'aneth. Mélanger le moût de raisin et le vinaigre, saler, poivrer, monter à l'huile d'olive puis ajouter les herbes.

04/ **chips de betterave**
Éplucher et tailler à la mandoline de fines tranches de betterave, les passer dans la Maïzena et les frire dans l'huile à 170 °C. Les égoutter et les saler.

05/ **finition et dressage**
Dresser l'asperge au centre de l'assiette puis disposer la vinaigrette autour ainsi que les cubes de mousse de lait. Ajouter les chips de betterave sur la mousse de lait.

pointes d'asperges lustrées à l'huile d'argan, fines ravioles de châtaigne au beurre noisette

pâtes
4 personnes

01/ 40 asperges sauvages
2 cl d'huile d'argan
2 pommes de terre Agria
5 g de pâte de noisette
10 châtaignes épluchées
20 cl de fond de volaille
10 g de beurre noisette
2 cl d'huile de noisette grillée
Fleur de sel

02/ 50 cl de fond de volaille
4 oignons paille
5 feuilles de gélatine
5 g d'agar-agar

03/ 75 g de beurre
30 g de pâte de noisette
7,5 cl de lait entier
Sel fin

01/ **pointes d'asperges et fines ravioles**
Poêler les asperges sauvages à l'huile d'argan (juste un aller-retour). Réserver les pointes. Cuire les queues à l'eau bouillante pour qu'elles soient fondantes et les réserver. Cuire les pommes de terre à l'eau bouillante en robe des champs. Cuire les châtaignes dans le fond de volaille. Éplucher les pommes de terre et les passer au tamis. Mixer les châtaignes avec un peu de leur jus de cuisson. Mélanger les pommes de terre et la purée de châtaignes à la spatule puis ajouter la pâte de noisette, le beurre noisette et l'huile de noisette puis saler ; la purée doit être onctueuse.

02/ **gelée d'oignon**
Faire bouillir le fond de volaille. Couper en deux les oignons avec la peau puis les faire brûler côté chair sur un papier aluminium sur la plaque du fourneau ou dans une poêle fumante, les ajouter au fond de volaille bouillant, baisser le feu et laisser cuire à frémissement pendant 2 heures. Passer ensuite au chinois, faire réduire légèrement, ajouter l'agar-agar, faire bouillir puis ajouter la gélatine ramollie. Couler sur un plateau sur une épaisseur de 5 mm, laisser refroidir et découper des ronds de 6 cm de diamètre.

03/ **émulsion asperge**
Mixer 100 g de queues d'asperges cuites avec le lait chaud infusé avec la pâte de noisette. Passer au chinois fin, ajouter le beurre et saler. Émulsionner avec un mixer plongeant.

04/ **finition et dressage**
Dans une assiette, dresser trois ronds du purée de châtaigne chaude, recouvrir chacun d'eux d'un disque de gelée d'oignon, ajouter les asperges sauvages dans l'assiette et finir par l'émulsion. Parsemer la fleur de sel sur les pointes d'asperges.

royale de camerons en chemise d'asperges, citron caviar et velouté de favouilles à la badiane

**poissons
4 personnes**

01/ 375 g de saumon de Norvège
25 cl de crème liquide
5 g de sel fin
Piment d'Espelette
125 g de camerons
10 g d'échalotes
5 g de zeste de citron jaune
1 botte d'estragon
7 ml d'armagnac
2 g de fleur de sel

02/ 4 asperges gros calibre
4 cl d'huile d'olive

03/ 1 kg de favouilles
1 carotte
2 gousses d'ail
4 badianes
1 fenouil
2 écorces d'orange
1 tomate
10 g de concentré de tomates
5 cl d'armagnac
1/2 botte d'estragon
5 cl d'huile d'olive Château Virant

04/ 2 citrons caviar
10 g de caviar d'œufs
de hareng fumé
Quelques pousses de radis

01/ **royale de camerons**
Mixer la chair de saumon avec la crème liquide puis ajouter le sel fin et le piment d'Espelette. Passer au tamis et réserver au frais. Décortiquer les camerons, retirer le boyau puis les tailler en brunoise. Ciseler finement les échalotes, ajouter les zestes de citron râpé, l'armagnac, la fleur sel, l'estragon haché puis mélanger à la brunoise de camerons. Laisser mariner 20 minutes puis mélanger à la mousse de saumon. Rouler ensuite dans un papier film et cuire au four vapeur à 80 °C pendant 20 minutes puis refroidir dans une glaçante. Portionner des tubes de 8 cm de long.

02/ **asperges en chemise**
Tailler à la mandoline les asperges dans le sens de la longueur, les cuire dans une eau bouillante 1 minute. Bien les laisser refroidir puis les assaisonner à l'huile d'olive. Disposer ensuite les lamelles les unes contre les autres sur un papier film. Poser un tube de saumon sur les lamelles et rouler à l'aide du papier film.

03/ **velouté de favouilles à la badiane**
Dans un rondeau, faire colorer les favouilles à l'huile d'olive puis les réserver. Tailler carottes, fenouil, tomate, ail en mirepoix, les faire colorer dans le même rondeau puis verser le concentré de tomates. Ajouter ensuite les favouilles, flamber à l'armagnac, ajouter les écorces d'orange, la badiane, l'estragon et mouiller à hauteur avec de l'eau. Faire bouillir, écumer et cuire 1 h 30 à frémissement. Passer au chinois fin et réduire à consistance épaisse.

04/ **finition et dressage**
Chauffer la royale de camerons au four vapeur à 80 °C pendant 6 minutes. Dans une assiette creuse, verser le velouté de favouilles chaud, poser par-dessus la royale en chemise d'asperges puis ajouter le citron caviar et les œufs de hareng fumé.
Finir avec quelques pousses de radis.

épaule d'agneau de lait confite aux gousses d'ail, têtes d'asperges en croque navet, suc de persil plat

**viandes
4 personnes**

01/ 2 épaules d'agneau
2 cl d'huile d'olive
1 gousse d'ail
Piment d'Espelette
Sel fin
Poivre blanc du moulin

02/ 1 carotte
1 oignon
1 gousse d'ail
100 g de sucre
2 cl de vinaigre de miel
2 cl d'huile d'olive
1 branche de thym

01/ **épaule d'agneau de lait et jus d'agneau**
Désosser les épaules d'agneau (réserver les os pour le jus), les assaisonner de sel, poivre et piment d'Espelette. Les rouler, les ficeler puis les colorer à l'huile d'olive avec une gousse d'ail écrasée.
Les laisser refroidir puis les mettre dans un sac de cuisson sous vide. Cuire dans un four vapeur 2 minutes à 80 °C puis baisser la température du four à 68 °C et cuire à cœur à 58 °C. Refroidir, réserver le jus de cuisson et tailler des portions de 70 g.

02/ **jus d'agneau**
Faire colorer au four à 190 °C les os des épaules d'agneau. Tailler la carotte, l'oignon et l'ail en mirepoix dans un rondeau, les faire colorer à l'huile d'olive, ajouter les os et le jus de cuisson des épaules puis la branche de thym. Mouiller à l'eau à hauteur et cuire 1 h 30. Passer ensuite au chinois fin. Dans une casserole, faire un caramel avec le sucre et déglacer au vinaigre de miel. Ajouter ensuite le jus d'agneau et réduire à consistance liée.

03/ **suc de persil et fromage blanc à l'ail**

Équeuter le persil et cuire les feuilles à l'eau bouillante salée pendant 6 minutes. Les égoutter, les refroidir dans une glaçante, bien les essorer et les mixer dans un blinder avec un peu d'eau de cuisson. Saler et monter à l'huile d'olive. Éplucher l'ail et retirer le germe puis blanchir cinq fois départ eau froide. Mixer ensuite en fine purée et saler. Mélanger l'ail, le fromage blanc et la crème. Saler, poivrer et ajouter le vinaigre.

04/ **têtes d'asperges et croque navet**

Éplucher les asperges à mi-hauteur, les cuire dans une eau bouillante salée 2 minutes et les refroidir dans une glaçante. Couper le navet boule en tranches de 1 cm d'épaisseur. À l'aide d'un emporte-pièce de 3 cm de diamètre, tailler chaque tranche de navet en rondelle, puis évider le centre à l'aide d'une pomme parisienne. Mettre dans une casserole les rondelles de navet, les recouvrir de fond blanc, ajouter le beurre, la branche de thym et le vinaigre de miel. Cuire à feu doux jusqu'à évaporation du fond blanc, goûter et rectifier l'assaisonnement. Tailler en brunoise les cœurs de navet et les ajouter au jus d'agneau.

05/ **finition et dressage**

Sur le côté de l'assiette, disposer une portion d'épaule d'agneau arrosée de son jus et ajouter la petite brunoise de cœurs de navet. Insérer une rondelle de navet dans une pointe d'asperge. En disposer trois sur chaque assiette à côté de l'agneau, saucer avec le suc de persil et le fromage blanc à l'ail.

03/ 2 bottes de persil plat
4 cl d'huile d'olive
125 g de fromage blanc
20 gousses d'ail
5 ml de vinaigre d'Estornell
25 g de crème épaisse
Sel, poivre

04/ 12 asperges vertes moyennes
2 gros navets boule
2 cl de vinaigre de miel
10 g de beurre
15 cl de fond blanc de volaille
1 branche de thym
Sel fin

épaule d'agneau de lait
confite aux gousses d'ail,
têtes d'asperges en croque
navet, suc de persil plat

charlotte d'asperge,
mousseline à l'huile d'olive
sablé viennois,
lait glacé citron

charlotte d'asperge, mousseline à l'huile d'olive sablé viennois, lait glacé citron

desserts
4 personnes

01/ 65 g de beurre
65 g de farine
30 g de poudre de pistache
30 g de sucre glace
1/2 œuf

02/ 125 g de lait entier
125 g d'eau
125 g de sucre
125 g de jus de citron jaune
1/2 zeste de citron jaune

03/ 50 g de crème fleurette
7,5 g de sucre
1/2 feuille de gélatine
1/8 de gousse de vanille

01/ **sablé viennois à la pistache**
Dans la cuve d'un batteur, mélanger le beurre, la farine, la poudre de pistache et le sucre glace, puis ajouter l'œuf. Étaler finement puis détailler en ronds de 6 cm de diamètre. Cuire au four à 140 °C pendant 10 minutes.

02/ **lait glacé au citron**
Chauffer l'eau et le lait à 50 °C puis ajouter le sucre. Chauffer de nouveau puis laisser refroidir. Verser ensuite sur le jus et le zeste de citron puis turbiner.

03/ **crème panacotta**
Dans une casserole, tiédir la crème fleurette avec le sucre et les graines de vanille. Incorporer la gélatine préalablement ramollie. Réserver au réfrigérateur 4 heures avant l'utilisation.

04/ mousse à l'huile d'olive

Dans une casserole, réaliser un sirop avec le sucre et l'eau, ajouter la gélatine ramollie et verser sur les jaunes. Bien mélanger puis incorporer petit à petit l'huile d'olive (comme pour une mayonnaise). Pour finir, incorporer la crème montée. Verser dans des moules Rhodoïd ronds de 6 cm de haut et laisser prendre. Ensuite faire un trou au centre à l'aide d'un gros vide-pomme.

05/ espuma asperge

Faire bouillir le lait et la crème. Blanchir les jaunes avec le sucre et les verser dans le lait. Cuire à 83 °C pour réaliser une crème anglaise. Ajouter l'arôme asperge. Refroidir et verser dans un siphon avec deux cartouches de gaz.

06/ pétale d'asperge

Couper des tronçons d'asperges de 6 cm. Passer à la mandoline chinoise pour réaliser de fins pétales. Cuire dans une eau salée pendant 30 secondes et les refroidir dans des glaçons. Réaliser un sirop avec le sucre et l'eau puis faire mariner les pétales d'asperges pendant 24 heures.

07/ finition et dressage

Disposer les pétales d'asperges autour de la mousse d'olive et attacher avec un fil de chocolat plastique. Poser ensuite la charlotte d'asperge sur le sablé viennois. Garnir le centre de la charlotte d'espuma asperge. Réaliser sept points de crème panacotta de différentes tailles. Finir avec une quenelle de lait glacé au citron.

04/ 110 g de sucre
60 g d'eau
80 g de jaunes d'œufs
4 feuilles de gélatine
180 g d'huile d'olive
500 g de crème montée

05/ 125 g de lait entier
125 g de crème
à 35 % de matière grasse
50 g de jaunes d'œufs
35 g de sucre
Arôme asperge

06/ 10 asperges vertes
250 g de sucre
200 g d'eau

avril

l'œuf
de ferme bio

Faire éclore notre âme d'enfant

Oblong, bonhomme, sagement aligné dans sa boîte caractéristique
aux côtés de ses congénères, il est l'ingrédient le plus présent dans
nos cuisines. Et la vue rassurante de sa coquille lisse et tachetée
nous replonge instantanément dans nos émotions d'enfant, dans un
inconscient collectif nourri d'un confortable liquide amniotique, de
poursuites dans la paille humide d'un poulailler ou de dimanches de
Pâques enfiévrés.

Depuis les temps les plus anciens, les Phéniciens se régalaient des œufs
de l'autruche, tandis que, dans l'Antiquité, les Romains consommaient
ceux du paon bleu et les Chinois, ceux du pigeon.
En Occident, toutefois, l'œuf de la poule a graduellement pris le pas
sur tous les autres. Longtemps marginalisé, à la fois pour des raisons
économiques évidentes, à cause d'interdits religieux et de superstitions,
il n'est devenu l'allié obligé de nos appétits qu'avec la découverte, au
XVIIIe siècle, des techniques de couvaison artificielle par les Égyptiens,
et l'introduction de races de poules plus productives, sélectionnées par
les Chinois. Si sa consommation a chuté ces dernières années du fait
des risques que la forte teneur en cholestérol du jaune était supposée
faire peser sur la santé, des études plus récentes ont démontré que les
aliments faibles en gras saturés, comme les œufs, avaient des effets
mineurs sur le taux de cholestérol sanguin et un faible impact sur les
troubles cardiovasculaires. La richesse de l'œuf en protéines à haute
valeur biologique, en vitamines, en sels minéraux, en antioxydants, ainsi
que sa faible charge glycémique ont balayé les dernières réticences.

Le petit Denis ne se posait pas toutes ces questions quand il passait ses journées à jouer dans le poulailler familial, observant la ponte, regardant les poussins grandir, gobant les œufs à la dérobée.
Avec sa sœur, c'est à qui trouverait deux jaunes dans la même coquille, une gageure, encore mieux que la fève du gâteau des rois !
Et quand madame Fétisson les délayait avec du sucre, en guise de fortifiant, la joie n'était que plus intense.

Aujourd'hui, ce sont les œufs bio de son propre poulailler aux Chênes verts à Tourtour que Denis Fétisson sert extra-frais à ses hôtes.
De bons gaillards bien rebondis, au jaune « gros comme ça », dont une vingtaine de pondeuses caquetantes lui font l'offrande chaque jour.
Ici, point d'élevage en batterie, de confinement dans des cages étroites, d'éclairage artificiel, de farines industrielles à l'origine douteuse, d'antibiotiques pour lutter contre les déficits d'un système immunitaire submergé par le stress de la surpopulation. Mais l'air pur et l'espace d'un grand poulailler à ciel ouvert sous les chênes, équipé de nids et de perchoirs, et généreusement abreuvé de seaux de grains de maïs et d'eau qui court…

Le chef travaille avec un plaisir toujours renouvelé cet exhausteur de goût naturel qui sublime par sa texture et sa douceur la plupart des plats. Qu'il le poche dans une eau vinaigrée, avant de le frire dans une feuille de brick puis de le dresser, croustillant, dans une sauce tartare garnie de queues d'écrevisses aromatisées au beurre de homard, qu'il le monte en béchamel avec ris de veau sauté et morilles, qu'il le vide de son jaune et le farcisse de colin au cognac et citron vert accompagné de pommes darphin à la muscade et au parmesan, ou qu'il le détourne en dessert comme un clin d'œil – une crème brûlée jouera le jaune, une panacotta le blanc comme une nougatine éclatée, le tout servi sur une mousse de mascarpone, confit de fraise. L'émerveillement de l'enfance est au rendez-vous de la dégustation. |

œuf poché
servi croustillant,
sauce tartare au cerfeuil,
queues d'écrevisses
à la fleur de sel

entrées
4 personnes

01/ 4 œufs bio
2 cl de vinaigre blanc
2 feuilles de brick
2 blancs d'œufs
50 cl d'huile de friture
Sel

02/ 1 courgette violon
10 g de cornichons
10 g de câpres
4 g de moutarde à l'ancienne
2 cébettes
50 g de mayonnaise
1 citron jaune
1 g de piment d'Espelette
2 branches de cerfeuil

03/ 24 écrevisses
5 g de beurre de homard
2 g de fleur de sel de Camargue

04/ 1 œuf dur congelé
Pluches de cerfeuil

01/ **œuf poché**
Dans une casserole haute, faire bouillir de l'eau vinaigrée (mais non salée), puis baisser le feu. Casser un œuf dans un bol. Faire tourbillonner l'eau avec une cuillère et verser délicatement l'œuf au milieu du tourbillon. Laisser cuire 2 minutes à frémissement puis refroidir dans une eau glacée. Égoutter puis, au pinceau, lustrer aux blancs d'œufs battus le dessus de l'œuf. Tailler en julienne les feuilles de brick et les disposer sur l'œuf poché. Frire l'œuf à 170 °C pendant 1 minute, éponger sur un linge et saler.

02/ **sauce tartare**
Laver et tailler en petite brunoise la courgette violon, les cornichons, les câpres et les cébettes, mélanger à la mayonnaise puis ajouter le jus de citron, le piment d'Espelette, la moutarde à l'ancienne et le cerfeuil effeuillé. Saler.

03/ **écrevisses**
Châtrer les écrevisses puis les cuire dans une eau bouillante salée 8 minutes. Les sortir, les laisser refroidir et les décortiquer. Les rouler dans le beurre de homard et les saler à la fleur de sel.

04/ **finition et dressage**
Dans une assiette creuse, dresser la sauce tartare dans un cercle de 10 cm de diamètre. Répartir six écrevisses autour. Poser l'œuf chaud sur le tartare. Râper l'œuf dur congelé sur la julienne de feuilles de brick. Décorer l'œuf de quelques pluches de cerfeuil.

vol-au-vent de morilles en fricassée, mousseline d'ail des ours, salade frisée aux mendiants

**feuilleté
4 personnes**

01/ 350 g de feuilletage
100 g de ris de veau
50 g de crêtes de coqs
10 belles morilles
10 g de beurre
Sel et poivre du moulin
2 jaunes d'œufs

02/ 25 cl de lait entier
25 cl de vin jaune du Jura
40 g de beurre
40 g de farine
2 g de sel fin

03/ 4 jaunes d'œufs
2 cl d'eau
250 g de beurre clarifié
2 g de sel fin
50 g d'ail des ours

01/ **vol-au-vent**

Couper le feuilletage en huit carrés de 10 cm par 10 cm. Évider quatre carrés de pâte avec un emporte-pièce rond de 6 cm de diamètre. Lustrer les huit carrés au jaune d'œuf. Superposer un carré plein et un carré évidé, cuire au four à 180 °C pendant 8 minutes.

Garniture / Blanchir les ris de veau départ eau froide, ôter la peau puis les tailler en petits morceaux. Les faire rissoler au beurre, saler, poivrer puis réserver. Laver les morilles, les faire sauter au beurre, saler, poivrer puis réserver. Blanchir deux fois les crêtes de coqs départ eau froide puis les faire rissoler au beurre. Saler et poivrer. Réserver.

02/ **béchamel**

Dans une casserole, faire bouillir le lait. Dans une autre casserole, faire fondre le beurre et ajouter la farine passée au tamis puis cuire sans coloration 4 minutes. Ajouter le lait chaud et le vin jaune, faire bouillir, saler et réserver.

03/ **hollandaise ail des ours**

Cuire les feuilles d'ail des ours dans une eau salée puis les mixer finement au blinder. Dans un cul de poule posé sur une casserole d'eau frémissante, battre les jaunes d'œufs avec l'eau, monter la hollandaise doucement au beurre clarifié tout en fouettant. Une fois la consistance épaisse, ajouter la purée d'ail des ours, saler et mettre dans un siphon avec deux cartouches de gaz.

04/ 200 g d'amandes avec la peau
50 g de sucre semoule
Sirop à 30 °B :
100 g de sucre
9 cl d'eau

05/ 2 échalotes
10 cl de vin rouge
10 cl de rivesaltes
5 g de moutarde à l'ancienne
5 g de moutarde
de moût de raisin
10 cl d'huile d'olive Château Virant
Sel fin et poivre du moulin

06/ 1 salade frisée
1 pain de campagne
5 cl d'huile d'olive Château Virant

04/ **fruits du mendiant**
Réaliser le sirop à 30 °B en faisant bouillir l'eau et le sucre. Dans une casserole, faire fondre les 50 g de sucre, ajouter le sirop puis les amandes. Faire masser à feu doux en remuant bien. Une fois les amandes bien enrobées de sucre, monter le feu sans cesser de remuer et faire caraméliser. Débarrasser sur un marbre froid.

05/ **vinaigrette**
Ciseler les échalotes. Dans une casserole, verser le vin rouge et le rivesaltes, ajouter les échalotes et faire réduire à sec. Ajouter les deux moutardes, saler, poivrer et monter à l'huile d'olive.

06/ **tuile de pain**
Placer le pain de campagne au surgélateur puis le tailler à la machine à jambon en tranches fines. Tailler ensuite en rectangles de 4 cm de largeur sur 12 cm de longueur, huiler légèrement puis cuire dans une gouttière au four sec à 180 °C pendant 4 minutes.

07/ **finition et dressage**
Passer le feuilletage au four afin de le servir chaud. Mélanger la garniture à la béchamel, faire chauffer puis en garnir le vol-au-vent. Couvrir le dessus de points de hollandaise à l'ail des ours. Dresser la salade frisée dans la tuile de pain, ajouter la vinaigrette et les mendiants.

l'œuf
de ferme bio
avril

**vol-au-vent
de morilles
en fricassée,
mousseline d'ail
des ours,
salade frisée
aux mendiants**

colinot cuit en coquille d'œuf, le jaune confit à l'huile d'olive, panier de pomme de terre en fondue d'épinard

**poissons
4 personnes**

01/ 400 g de chair de colinot
28 cl de crème liquide
4 œufs
1 citron vert
0,5 cl de cognac
Sel fin
Piment d'Espelette
40 cl d'huile d'olive

02/ 2 pommes de terre Agria
1 noix de muscade râpée
20 g de parmesan râpé
5 cl de beurre clarifié
Sel fin
200 g de pousses d'épinards
1 gousse d'ail
2 cl d'huile d'olive
2 oignons cébettes
Fleur de sel de Camargue
10 g de beurre

03/ 300 g de piquillos
7,5 cl d'huile d'olive
Sel fin
Poivre de Jamaïque

01/ **préparation et cuisson du colinot en coquille d'œuf**
Mixer la chair de colinot avec la crème liquide, passer au tamis fin puis saler. Ajouter les zestes de citron vert, le piment d'Espelette et le cognac. Ouvrir les œufs à l'aide d'un toque-œuf, vider la coquille et récupérer les jaunes d'œufs. Placer chacun d'eux dans un verre rempli d'huile d'olive salée. Cuire au four vapeur à 64 °C pendant 1 heure. Répartir la mousse de colinot à l'intérieur de la coquille d'œuf, placer au centre le jaune d'œuf confit et recouvrir de mousse de colinot. Filmer l'œuf et cuire au four vapeur à 68 °C pendant 6 minutes. Laisser refroidir et écaler l'œuf.

02/ **panier de pomme de terre et épinards**
Éplucher et tailler une pomme de terre en julienne, la mélanger au parmesan, à la noix de muscade et saler. Mélanger avec le beurre clarifié, cuire dans une poêle à blinis sur les deux faces jusqu'à obtenir une belle coloration. Dans un plat en fonte, faire fondre le beurre, ajouter la gousse d'ail écrasée, saler puis masser les pousses d'épinards sans trop les cuire. Cuire les oignons cébettes à l'anglaise, séparer les feuilles du bulbe. Faire frire les tiges et les bulbes, saler à la fleur de sel.

03/ **coulis de piquillos**
Mixer les piquillos au blinder, monter à l'huile d'olive, saler et poivrer.

04/ **finition et dressage**
Découper quatre rondelles dans la pomme de terre restante. Les faire blanchir puis les faire frire. Placer le panier de pomme de terre au centre de l'assiette, ajouter en cercle les épinards, placer l'œuf de colinot dessus puis une chips de pomme de terre. Dresser le coulis de piquillos et les pétales d'oignons cébettes.

veau laitier en tartare adouci à la fève de tonka, œuf de caille sur canapé, garniture Wilson, jus de veau perlé au vinaigre de figue

**viandes
4 personnes**

01/ 450 g de quasi de veau de lait
1 fève de tonka
2 cl d'huile d'olive Château Virant
1 botte de ciboulette
2 cébettes
2 feuilles de sauge
1 citron jaune
1/2 orange
Fleur de sel
Poivre du moulin
Piment d'Espelette

02/ 4 œufs de caille
4 tranches de pain de mie
2 cl d'huile d'olive
Fleur de sel

03/ 2 radis
2 mini-fenouils
2 mini-carottes
2 mini-courgettes
1 gousse d'ail
Sel de céleri
Vinaigre de figue
Huile d'olive Château Virant
Fleur de sel

04/ 300 g de céleri-rave
25 cl de crème liquide
2 g d'acide ascorbique
3 feuilles de gélatine
Sel fin

05/ 4 cl de jus de veau
Fleurs de ciboulette

01/ **tartare de veau de lait**
Tailler le quasi de veau en petits cubes, émincer les cébettes, ciseler la ciboulette, tailler en julienne la sauge, râper la fève de tonka. Mélanger le tout puis ajouter le piment d'Espelette, le sel, les zestes d'orange et de citron, saler, poivrer, ajouter l'huile d'olive et bien mélanger. Mouler dans des cercles de 6 cm de diamètre.

02/ **œuf de caille**
Tailler le pain de mie à l'aide d'un cercle de 4 cm de diamètre puis tailler au centre un autre cercle à l'aide d'une pomme parisienne. Poêler le pain de mie à l'huile d'olive sur une face, le retourner et casser l'œuf de caille au centre. Cuire 1 minute, saler et retirer. Éponger le canapé sur un papier absorbant.

03/ **légumes Wilson**
Tailler tous les légumes (radis, fenouils, carottes, courgettes) en fines tranches à l'aide d'une mandoline puis les faire tremper dans une eau glacée. Au moment de l'envoi, bien les éponger sur un linge puis les assaisonner avec l'huile d'olive, la fleur de sel et le vinaigre de figue. Tailler la gousse d'ail en fines tranches à la mandoline, les faire blanchir départ eau froide, refroidir puis bien les éponger. Les faire frire ensuite à 170 °C jusqu'à coloration blonde, éponger et saler au sel de céleri.

04/ **mousse de céleri-rave**
Éplucher le céleri. Ajouter l'acide ascorbique à de l'eau bouillante salée puis cuire le céleri 15 minutes. L'égoutter, le mixer finement au blinder puis saler. Débarrasser la purée dans un bol, ajouter la gélatine ramollie, mélanger puis laisser refroidir. Dans un autre bol, monter la crème puis l'incorporer à la spatule à la purée de céleri. Réserver au froid.

05/ **finition et dressage**
Positionner deux ronds de tartare dans une assiette, poser sur l'un d'eux le canapé d'œuf de caille, saucer l'assiette avec le jus de veau. Dresser deux quenelles de mousse de céleri, poser sur le dessus les légumes et les chips d'ail et finir par les fleurs de ciboulette.

fines dentelles de fraises piquantes, crème mascarpone vanillée, surprise d'œuf passion

**desserts
4 personnes**

01/ 60 g d'amandes hachées
100 g de sucre semoule
25 g de farine T55
30 g de jus d'orange
1/4 de zeste d'orange
25 g de beurre fondu
Colorant rouge carmin

02/ 45 g de fondant
30 g de glucose

03/ 125 g de mascarpone
25 g de sucre semoule
125 g de crème fleurette
1/2 gousse de vanille

04/ 250 g de fraises
25 g de sucre

01/ **tuile dentelle**
Dans la cuve d'un batteur, mélanger tous les ingrédients en respectant l'ordre ci-contre. Confectionner des boules de 10 g et les poser sur une feuille Silpat graissée. Cuire pendant 9 minutes au four à 140 °C.

02/ **cristalline**
Chauffer le glucose avec le fondant dans une casserole et cuire à 155 °C. Refroidir, mixer en poudre. Tamiser sur une feuille Silpat légèrement graissée, réaliser des ronds à l'aide d'un pochoir puis passer quelques instants au four à 180 °C. Stocker les cristallines à l'abri de l'humidité.

03/ **crème mascarpone vanillée**
Monter la crème, mélanger le mascarpone avec le sucre et les graines de vanille puis incorporer la crème fouettée. Mettre dans une poche avec la douille marguerite.

04/ **jus de fraise**
Mixer les fraises avec le sucre semoule puis passer le tout au chinois étamine

05/ 250 g de crème à 35 %
    de matière grasse
    40 g de sucre semoule
    1/2 gousse de vanille
    5 g de gélatine

06/ 30 g de pulpe de passion
    30 g de sucre
    95 g de crème liquide
    à 35 % de matière grasse
    35 g de jaunes d'œufs
    1 g de gélatine

07/ Fraises coupées en cubes
    Dés de citron confit
    Poivre du Sichuan
    Zestes de citron
    Menthe

05/ **panacotta vanille**

Dans une casserole, chauffer la crème avec le sucre et les graines de vanille. Incorporer la gélatine ramollie. Verser dans des moules Flexipan à fond plat de 4 cm de diamètre.

06/ **crème brûlée passion**

Dans une casserole, faire bouillir la pulpe de passion et le sucre. Incorporer la gélatine ramollie. Mélanger les jaunes et la crème froide puis ajouter le jus de passion gélifié. Verser dans des moules Flexipan en demi-sphère de 2 cm de diamètre. Cuire au four à 90 °C pendant 30 minutes. Refroidir au surgélateur avant utilisation.

07/ **finition et dressage**

Placer au centre de l'assiette creuse un cercle de jus de fraise. Au centre, réaliser une marguerite de crème mascarpone et mettre au centre des cubes de fraise au poivre du Sichuan puis des dés de citron confit par-dessus. Poser une tuile dentelle. Renouveler cette opération deux fois. Pour finir, poser une dernière tuile et constituer « l'œuf surprise » dessus : poser un œuf au plat de panaccota vanille puis, en son centre, un dôme de crème passion pour imiter le jaune d'œuf. Finir par la cristalline et la râpée de zestes de citron frais sur le dessus. Décorer l'assiette d'un trait de menthe réduit.

l'œuf
de ferme bio
avril

**fines dentelles
de fraises piquantes,
crème mascarpone
vanillée, surprise
d'œuf passion**

mai

l'aubergine

Un parfum d'exotisme

Sans la ratatouille provençale, cette sympathique donzelle cintrée dans son fourreau pourpre n'aurait peut-être pas percé en gastronomie. Attristé par l'injustice de la réputation faite à ce légume-fruit aux formes « rassurantes et réconfortantes comme une poitrine nourricière », Denis Fétisson n'a de cesse de la réhabiliter et de lui rendre la place qu'elle mérite. Les Turcs, qui la considèrent comme le « caviar du pauvre », ne se vantent-ils pas d'avoir mille recettes d'aubergine ? Dérivée d'une espèce sauvage vivant en Afrique et au Moyen-Orient, elle a été domestiquée en Inde il y a près de quatre mille ans, s'est ensuite diffusée en Chine, dans le monde arabe – d'où elle tire son nom « al-bâdinjân » –, puis en Espagne arabo-andalouse à partir du IXe siècle. Emblème de la cuisine méditerranéenne, elle sera cultivée en Italie au XVe siècle, où elle va grossir progressivement, puis s'allonger par sélection des plants. Elle ne sera introduite dans le midi de la France que deux siècles plus tard.

L'aubergine se complaît sous nos latitudes tempérées car elle aime les attentions, nécessite de la chaleur et craint le gel. Sa culture en plein champ se limite aux plaines méridionales ; ailleurs, elle se pratique souvent hors sol, sous abri. Dans tous les cas, son enracinement, superficiel, exige des arrosages réguliers. La récolte intervient environ cinq mois après le semis et débute dans le Sud à partir de mars. Il faut la consommer avant sa pleine maturité, car, à point, sa peau cuivrée renferme une chair plutôt amère.

Les diététiciens saluent les vertus de ce produit peu calorique et rassasiant, riche en eau, en potassium, magnésium, zinc, cuivre, vitamines B et fibres, dont la peau contient un antioxydant et qui permettrait de freiner le cholestérol.

Comme il en existe une multitude de variétés, de tailles, de formes et de couleurs, le chef ne laisse à personne le soin de les choisir. Il sélectionne les légumes de petite et moyenne tailles, dont la chair est plus dense et le goût moins amer. Bien fermes, avec une peau lisse et brillante, d'une jolie couleur violette, pas trop claire mais pas pourpre foncé pour autant. Il observe les pédoncules, bien verts et sans taches

brunes. Vérifie que les sépales sont épineux, adhèrent à la peau. Évite les fruits dont la peau est fripée et dont la couleur tire sur le brun car leur chair risque alors d'être amère, fibreuse, pleine de graines. Critère de paysan, infaillible : repérer les légumes dont l'extrémité arbore une fossette ovale, car les fossettes rondes sont gages de peu de chair !

Le chef fait dégorger les aubergines dans du sel, afin d'éviter qu'elles n'absorbent trop d'huile pendant la cuisson. Une fois coupées, si elles ne sont pas cuisinées tout de suite, il arrose leur chair de jus de citron, pour qu'elles ne noircissent pas au contact de l'air.
Elles se dégustent toujours cuites, à la vapeur, au gril, au four, farcies, à la poêle, frites ou en beignets, en tians, en curry, entières ou incisées. Pas bégueules pour un sou, elles sont prêtes à tous les mariages : huile d'olive, sauce tomate, viandes, sucres ; en compotée de légumes du soleil, en ratatouille provençale avec oignons et poivrons, en ravioles à la *caponata* sicilienne avec écume de pignons grillés, céleri et câpres, en moussaka grecque avec agneau haché et béchamel, en caviar libanais. Nos papilles en frémissent !

Taillées en lanières, puis grillées, elles entourent leurs congénères confectionnées en papeton aux herbes fraîches bien crémeux, sur lequel on dispose un jaune d'œuf confit sur son toast clarifié.
Enfin, en caviar, chapeautées d'un tartare assaisonné d'échalotes et de ciboulette ciselées, elles développent une saveur complexe, comparable à celle du cèpe, que vient rafraîchir un coulis de tomate à l'origan, accompagné de pousses de mesclun à l'huile de basilic.
Rôties au four, mises sous presse pendant toute une journée, colorées à l'ail et au thym, puis découpées en ronds sur lesquels elles sont déposées en jus gelé, elles apaiseront de leur moelleux des filets de barbue en brochettes croustillantes.
Étêtées puis rôties à l'huile d'olive en tranches fondantes, recouvertes de lanières de tomates confites, d'anchois marinés et de copeaux de mortadelle, elles relèvent d'une saveur douce, très légèrement amère, un râble de lapin rôti au serpolet, garni d'une sauce polenta..
Pour finir en beauté, Pascal Giry a voulu retrouver le délice qu'étaient pour lui les tranches de poivrons grillés au barbecue que l'on servait aux enfants, le dimanche, dans son enfance. L'aubergine s'y substitue, à la fois en confiture cuite dans un jus de citron vert et de gingembre, et en pétales finement tranchés et caramélisés montés en mille-feuille avec un crémeux pur framboise. |

papeton d'aubergine bianca, fin tartare aux olives de Kalamata

entrées
4 personnes

01/ 4 aubergines bianca
100 g d'échalotes
1 botte de ciboulette
1 botte de coriandre
10 cl de crème liquide
3 œufs
Piment d'Espelette
Sel, poivre

02/ 2 aubergines bianca
1/2 botte de ciboulette
50 g d'échalotes ciselées
5 cl d'huile d'olive
6 olives de Kalamata
Jus de citron
Sel, poivre

03/ 300 g de tomates fraîches
50 g d'oignons blancs
2 gousses d'ail
25 g de concentré de tomates
25 g d'origan
10 cl d'huile d'olive
Sel, poivre

01/ **papeton d'aubergine**
Laver les aubergines puis les mettre à cuire au four à 180 °C pendant 30 minutes jusqu'à ce qu'elles soient fondantes. Après cuisson, les éplucher, récupérer la chair, la faire dessécher au sautoir puis égoutter dans un torchon suspendu. Ciseler l'échalote et la ciboulette puis hacher la coriandre. Dans un sautoir, faire suer l'échalote puis ajouter la chair d'aubergine, les herbes et assaisonner de sel, de poivre et de piment d'Espelette. Mixer le tout avec la crème et les œufs battus. Mouler dans une plaque et cuire au four sec à 80 °C pendant 30 minutes. Refroidir puis tailler des carrés de 4 cm. Réserver.

02/ **tartare d'aubergines bianca et aubergines grillées**
À l'aide d'une machine à jambon, tailler quatre bandes d'aubergine de 5 mm d'épaisseur puis les assaisonner. Les passer sur le gril, les égoutter puis les tailler en bandes de 2 cm sur 15 cm de longueur. Réserver. Tailler le restant des aubergines en brunoise, ajouter le jus de citron (pour assaisonner et éviter l'oxydation), l'échalote et la ciboulette ciselées, l'huile d'olive puis les olives de Kalamata taillées en grosse brunoise.

03/ **coulis de tomate à l'origan**
Suer à l'huile d'olive l'ail écrasé et l'oignon émincé, ajouter les tomates taillées grossièrement et le concentré de tomates puis cuire à feu vif 4 minutes. Ajouter l'origan et cuire la sauce tomate tout doucement sur le coin du feu environ 1 heure. Passer au chinois étamine fin afin d'obtenir un coulis. Rectifier l'assaisonnement et mettre en pipette.

04/ 4 jaunes d'œufs
   25 cl d'huile d'olive
   1 tranche de pain de mie
   50 g de beurre clarifié

05/ 5 bottes de basilic
   25 cl d'huile d'olive
   Sel

06/ 50 g de mesclun niçois
   Huile d'olive
   Fleur de sel de Camargue

04/ **jaune d'œuf confit**
Disposer les jaunes d'œufs dans un plat, couvrir d'huile d'olive et cuire à 64 °C au four vapeur pendant 1 heure. Maintenir au chaud sans dépasser 64 °C. À l'aide d'un emporte-pièce de 4 cm de diamètre, détailler le pain de mie en toasts ronds. Les faire sauter au beurre clarifié jusqu'à obtenir une belle coloration blonde.

05/ **huile de basilic**
Effeuiller le basilic, le blanchir puis refroidir dans de l'eau glacée. L'égoutter et le mixer avec l'huile d'olive et une pointe de sel. Réserver en pipette.

06/ **finition et dressage**
Disposer sur l'assiette deux carrés de papeton d'aubergine, les entourer de bandes d'aubergines grillées et surmonter chaque papeton de tartare d'aubergines. Mettre le jaune d'œuf confit sur le toast, le poser sur l'assiette et assaisonner de fleur de sel de Camargue. Disposer harmonieusement les pousses de mesclun lustrées à l'huile d'olive, les points d'huile de basilic et de coulis de tomate.

**papeton d'aubergine
bianca, fin tartare
aux olives
de Kalamata**

ravioles d'aubergine à la caponata, écume de pignons grillés

pâtes
4 personnes

01/ 250 g d'aubergines en brunoise
50 g de céleri branche
en brunoise
10 g de pignons
25 g d'oignons
20 g de tomates italiennes
séchées
10 g de raisins secs
10 g de câpres
15 g d'olives noires en brunoise
1,5 cl de vinaigre d'Estornell
10 cl d'huile d'olive
1 gousse d'ail
Sel, poivre

02/ 500 g de farine type 00
5 œufs
5 cl d'huile d'olive Château Virant
5 g de sel fin

03/ 125 g de pignons de pin
25 cl de fond blanc de volaille
25 cl de crème liquide
25 cl de lait entier
5 g de poudre de lait

04/ 12 pluches de céleri jaune
25 g de pignons grillés
Huile d'olive
Fleur de sel

01/ **farce d'aubergine à la caponata**
Faire suer à l'huile d'olive la gousse d'ail écrasée et les oignons ciselés puis ajouter la brunoise d'aubergines, colorer et égoutter le tout. Cuire la brunoise de céleri à l'anglaise et la garder bien croquante. Ensuite, mélanger tous les éléments et rectifier l'assaisonnement.

02/ **pâte à raviole maison**
Dans la cuve d'un batteur, mélanger la farine, les œufs, l'huile d'olive et le sel. Mettre sous vide afin de bien serrer la pâte et pouvoir la travailler plus facilement. Étaler la pâte le plus fin possible, tailler des carrés de 8 cm, disposer la farce d'aubergine au centre puis replier la pâte sur elle-même pour former un triangle. À l'aide d'une fourchette, appuyer sur les bords de la raviole afin de les coller. Réserver au frais.

03/ **écume pignons grillés**
Dans un sautoir, colorer les pignons de pin, mouiller avec le fond blanc, la crème et le lait. Cuire 5 minutes, mixer le tout et passer au chinois étamine. Ajouter la poudre de lait, garder à une température maximale de 80 °C.

04/ **finition et dressage**
Cuire les ravioles 4 minutes dans une eau salée à 90 °C. Les égoutter puis les passer dans un bol contenant de l'huile d'olive. Les disposer dans une assiette creuse et ajouter de la fleur de sel. Émulsionner l'écume pignons grillés et en disposer au centre de l'assiette. Parsemer les ravioles de pignons grillés et ajouter une pluche de céleri jaune.

barbue en brochette croustillante, aubergines Antigua laquées au jus

poissons
4 personnes

01/ 1 barbue de 2 à 3 kg
125 g de chair de merlu
12,5 cl de crème liquide
3 g de sel
500 g de chapelure
250 g de farine
5 œufs

02/ 75 g d'échalotes
1/2 tête d'ail
100 g de carottes
25 cl de vin rouge
2,5 l de fond blanc de volaille

03/ 1 kg d'aubergines Antigua
2 gousses d'ail
5 branches de thym
de Saint-Julien-le-Montagnier
10 cl d'huile d'olive

04/ 3 g d'agar-agar
3 feuilles de gélatine

05/ 5 mini-aubergines
12 bâtonnets de fenouil sec
de 10 cm
Huile de friture
Sel fin
Fleur de sel de Camargue

01/ **barbue**
Réaliser une farce fine de poisson en mixant la chair de merlu bien froide avec la crème. Passer au tamis fin, rectifier l'assaisonnement et réserver au frais. Habiller et lever les filets de barbue (réserver les arêtes et la tête), tailler des bandes de barbue de 5 mm d'épaisseur puis les déposer sur une plaque filmée. Masquer la moitié des bandes de barbue de farce fine sur 2 cm d'épaisseur, recouvrir de bandes de barbue puis faire prendre au froid. Tailler par la suite des cubes de 4 cm et paner à l'anglaise deux fois (farine, œufs battus puis chapelure).

02/ **sauce barbue**
Colorer au four les arêtes et la tête de barbue. Dans un rondeau, faire suer l'ail, l'échalote et la carotte émincés, ajouter les arêtes et la tête, colorer, déglacer au vin rouge et réduire à glace. Mouiller ensuite au fond blanc et cuire 1 heure. Passer à l'étamine et réduire à consistance d'un jus de viande, réserver.

03/ **aubergines rôties (à préparer la veille)**
Rôtir les aubergines au four à 160 °C pendant 30 minutes. Ensuite, les mettre sous presse durant 24 heures. Au bout de 24 heures, récupérer le jus d'aubergine et le réserver pour la gelée. Éplucher les aubergines, les rôtir et les colorer à l'huile d'olive avec l'ail et le thym. Réaliser ensuite des ronds d'aubergine à l'aide d'un emporte-pièce de 3 cm de diamètre et réserver.

04/ **gelée d'aubergine**
Porter à ébullition 12,5 cl de jus d'aubergine réservé, verser l'agar-agar, mélanger au fouet et cuire 1 minute. Ajouter ensuite la gélatine ramollie et couler sur un plateau épais. Laisser refroidir puis détailler à l'emporte-pièce de 3 cm de diamètre.

05/ **finition et dressage**
Frire les cubes de barbue panés à 180 °C jusqu'à obtenir une belle coloration blonde et croustillante. Tailler finement les mini-aubergines, les frire et les assaisonner de sel fin et de fleur de sel de Camargue. Réchauffer au four vapeur les ronds d'aubergine rôtie puis les couvrir de ronds de gelée. Disposer en quinconce sur l'assiette les cubes de barbue frits, les piquer d'un bâtonnet de fenouil sec. Disposer ensuite les aubergines rôties nappées de sauce barbue et poser harmonieusement les chips de mini-aubergines.

râble de lapin rôti à la marjolaine, aubergine Dourga à la Parmigiana

**viandes
4 personnes**

01/ 2 râbles de lapin
1/2 botte de marjolaine
25 g de crépine
Sel, poivre

02/ Bouillon de lapin :
50 g de carottes
50 g d'oignons
1 branche de céleri
1 clou de girofle
1 l de fond blanc de volaille

60 g de polenta fine
2,5 cl de crème liquide
1 botte de marjolaine
50 g de beurre
Sel, poivre

03/ 300 g d'aubergines Dourga
4 anchois frais
2 gousses d'ail
2 branches de thym
de Saint-Julien-le-Montagnier
1 branche de romarin
100 g de provolone
150 g de mortadelle
10 cl d'huile d'olive
Piment d'Espelette
Sel, poivre

04/ 75 g de tomates confites
Huile d'arachide
1 gousse d'ail
1 branche de thym
Pluches de basilic

01/ **râble de lapin**
Désosser les râbles de lapin (réserver les os et parures), séparer les deux filets, ciseler légèrement la panoufle, aplatir puis assaisonner. Disposer ensuite la marjolaine effeuillée sur les râbles. Rouler chaque demi-râble sur lui-même puis mettre en crépine et ficeler. Nettoyer les rognons et réserver.

02/ **sauce polenta**
bouillon de lapin / Porter à ébullition le fond blanc de volaille avec les os et les parures, ajouter la garniture aromatique (carottes, oignons, céleri, clou de girofle), cuire 1 h 30 puis passer au chinois. Porter à ébullition 50 cl de ce bouillon de lapin, verser en pluie la polenta, mélanger, cuire à petit feu 25 minutes puis ajouter la crème. Mixer, ajouter la marjolaine hachée et monter au beurre. Rectifier l'assaisonnement.

03/ **aubergines à la Parmigiana**
aubergines rôties / Tailler les aubergines dans la longueur, les assaisonner pour les faire dégorger. Dans une poêle, chauffer de l'huile d'olive avec une gousse d'ail, une branche de thym et colorer. Ajouter les tranches d'aubergine et cuire jusqu'à ce qu'elles soient fondantes. Égoutter et réserver.
anchois frais / Étêter les anchois puis lever les filets. Les mettre au sel pendant 2 minutes, puis les dessaler et les mettre à mariner avec de l'huile d'olive, une gousse d'ail émincée, une branche de thym, une branche de romarin et du piment d'Espelette au moins 24 heures.
provolone / Enlever la cire qui entoure le fromage, tailler le fromage en cubes de 2 cm, réserver.
mortadelle / Tailler la mortadelle en belles tranches fines.

04/ **finition et dressage**
Dans un sautoir avec de l'huile d'arachide, rôtir une gousse d'ail et une branche de thym puis ajouter les demi-râbles et les rognons. Garder les râbles moelleux et les rognons rosés. Découper chaque demi-râble en trois. Disposer sur chaque tranche d'aubergine rôtie, les cubes de provolone et les tomates confites taillées en lanières, passer sous la salamandre pour chauffer et pour faire fondre légèrement le fromage. Ensuite, disposer les morceaux de râble et les rognons, les anchois marinés, la mortadelle et, pour finir, les pluches de basilic ainsi que la sauce polenta.

l'aubergine
mai

pétale d'aubergine et crémeux pur framboise en mille-feuille, confiture d'aubergines, sorbet framboise aux poivrons grillés

desserts
4 personnes

01/ 250 g d'aubergines hachées
1 jus de citron vert
1 zeste de citron vert
150 g de sucre
8 g de pectine
100 g d'eau
4 g de gingembre râpé

02/ 1 aubergine
Sucre glace

03/ 40 g de pulpe de framboises
12 g de jaune d'œuf
15 g d'œuf
12 g de sucre
15 g de beurre
1/4 de feuille de gélatine
80 g de crème fraîche liquide

01/ **confiture d'aubergines**
Dans une casserole, cuire l'aubergine hachée avec l'eau, le sucre et la pectine. Ajouter le zeste et le jus de citron vert puis le gingembre. Cuire pendant 15 minutes. Stocker au frais.

02/ **pétale d'aubergine**
Couper l'aubergine dans la longueur à la machine à jambon réglée à 1 mm d'épaisseur. Disposer les pétales d'aubergine sur une plaque antiadhésive graissée et poudrée de sucre glace. Poudrer les pétales de sucre glace et couvrir d'un Silpat. Cuire 20 minutes au four à 120 °C. Retourner les pétales et caraméliser 20 minutes supplémentaires.

03/ **crémeux pur framboise**
Réhydrater la gélatine. Dans une casserole, chauffer la pulpe de framboises, le jaune, l'œuf et le sucre. Cuire jusqu'à une température de 83 °C. Ajouter la gélatine et le beurre puis mixer et laisser refroidir. Monter la crème et l'ajouter au crémeux.

04/ 30 g de blancs d'œufs
   10 g de sucre
   27 g de poudre de noisette
   30 g de sucre glace

05/ 100 g de pulpe de framboises
   20 g de sucre semoule
   40 g d'eau
   7 g de trimoline
   0,5 g de Fructodan
   10 g de purée de poivrons grillés

06/ Quelques framboises fraîches

04/ **dacquoise noisette reconstituée**

Monter les blancs avec le sucre. Mélanger la poudre de noisette et le sucre glace puis l'ajouter aux blancs montés. Étaler sur un papier cuisson et cuire 20 minutes au four à 170 °C. Une fois la dacquoise froide, la couper en petits cubes de 1 cm de côté. (Pour réaliser une dacquoise plus légère et plus croustillante : mettre 90 g de sucre et 60 g de blancs d'œufs dans un cul de poule, mélanger à la spatule, étaler sur une plaque antiadhésive et cuire au four 30 minutes à 120 °C.)

05/ **sorbet framboise**

Mélanger le Fructodan avec le sucre semoule à sec. Chauffer l'eau et la trimoline à 50 °C puis ajouter le mélange sucre/Fructodan. Chauffer pour faire fondre le sucre, laisser refroidir puis verser sur la pulpe de framboises et la purée de poivrons grillés.

06/ **finition et dressage**

Dans une assiette, dessiner une spirale de confiture d'aubergines. Dresser le crémeux framboise et les cristallines d'aubergine façon mille-feuille. Parsemer autour quelques cubes de dacquoise sur des demi-framboises. Dresser une quenelle de sorbet framboise aux poivrons grillés.

l'aubergine
mai

**pétale d'aubergine
et crémeux
pur framboise
en mille-feuille,
confiture
d'aubergines,
sorbet framboise
aux poivrons grillés**

juin

la pêche plate

Graine de star

Les pêches, c'est comme la confiture, ça dégouline. Ou plutôt ça dégoulinait, jusqu'à l'arrivée sur nos étals, il y a une quinzaine d'années, de la starlette de l'été : une nouvelle variété en passe aujourd'hui d'éclipser la pêche ronde traditionnelle. De fait, la petite dernière des produits à l'honneur de *La Place de Mougins* est une surdouée. L'INRA a mis des décennies avant de parvenir à croiser des pêchers originaires de Chine, introduits en France au XIXe siècle, avec des essences originaires de Tunisie dont l'aspect ne convenait pas au consommateur. Le résultat : un fruit haut de gamme, ce qui se fait de mieux sur le plan gustatif. Casting impeccable, lancement triomphal, succès immédiat auprès d'admirateurs dont les rangs ne cessent de s'étoffer, la carrière de l'actrice s'avère prometteuse.

Né en pleins champs dans le sud-ouest de la France, l'arbre vigoureux aux feuilles dentées qui la porte prend peu à peu ses aises dans toute la moitié sud de l'Hexagone. Avec une bonne résistance au gel et une faible sensibilité aux maladies, il est très rustique et peut se planter partout. Vers la fin mars, il se recouvre d'une abondante floraison rose pâle, puis se remplume d'un feuillage vert foncé. Les fruits se conservent bien sur le pêcher, depuis le début de leur maturité fin juillet, jusqu'à début septembre selon le climat.

De gros calibre, l'artiste tient une forme surprenante, à la fois rebondie et aplatie. D'une jolie teinte rouge-jaune, sa peau est fine, sans duvet. Rond comme une bille, son petit noyau se détache facilement de la

chair délicate dont le nuancier subtil décline ses gammes du blanc au jaune pâle en passant par le crème. Non contente de se laisser déguster tout sourire grâce à sa forme elliptique, elle se révèle « subacide », comme un fruit qui aurait perdu ses acides maliques et citriques, ce qui exacerbe son caractère très sucré.

Un délice dont Denis Fétisson a vite fait d'exploiter les talents. C'est au marché Poncelet, dans le 17e arrondissement, l'un des lieux les plus colorés de la capitale, que le chef a été introduit auprès de la jeune première. Il attend désormais avec impatience son arrivée chaque été, annonciatrice des beaux jours, de fêtes ensoleillées et de soirées indolentes qui n'en finissent pas de s'achever... La placer sous le feu des projecteurs, lui donner le premier rôle d'un menu du produit à l'honneur était un défi, relevé dans l'enthousiasme. Et pourtant, Dieu sait que cette élégante doit être traitée avec prévenance, pour éviter que sa chair délicate ne se déchire au court-bouillon ou à trop haute température...

Mixée fraîche en purée, découpée en dés très fins cuits au sirop de pêche et laquée en alcool, grâce à son goût de miel qui la distingue de ses consœurs, elle relève l'amertume de courgettes creusées d'une confiture de nori mariée au salé de maquereaux.
Tranchée fraîche et arrosée en arôme, sa chair fondante exhausse le moelleux du gorgonzola et de la mozzarella qui élaborent la farce de délicieuses ravioles au velouté de courgettes nappé de confiture de tomates. Écrasée en purée onctueuse relevée de champagne et de liqueur de pêche, elle rehausse de ses saveurs charnues une truite au gros sel accompagnée d'un palet de chou-rave déglacé au fond de volaille. Ou encore, poêlée au beurre en quartiers d'une belle coloration, elle parfume de douceur une caille marinée dans l'alcool de pêche, poêlée minute.
Ne restera qu'à clore le débat d'une fraîcheur d'été, en l'accommodant, rôtie à la vanille et tranchée façon Melba, d'une déclinaison de mousse et tartare du même fruit, montée sur un croquant aux éclats de crêpe que vient surligner une quenelle de glace caramel demi-sel... |

fine gelée de pêche au citron confit, maquereau, courgette violon aux algues nori

entrées
4 personnes

01/ 2 pêches plates
1 cl de liqueur de pêche
2 feuilles de gélatine
1 citron jaune

02/ 100 g de nori
60 g de gingembre confit
100 g d'algues kombu
20 cl d'huile d'olive

03/ 2 courgettes violon
2 maquereaux
10 cl de liqueur de pêche de vigne
200 g de gros sel
50 g de chapelure de pain
1 œuf
50 g de farine
10 cl de vinaigre blanc

04/ 1 pêche de vigne

01/ **gelée de pêche**
Centrifuger la chair des pêches puis filtrer le jus au torchon. Faire ramollir les feuilles de gélatine dans l'eau froide. Faire tiédir un tiers du jus de pêche, ajouter la gélatine puis verser dans les deux tiers de jus de pêche restants et ajouter la liqueur de pêche. Couler au fond d'une assiette, râper les zestes de citron jaune sur le dessus et faire prendre au froid.

02/ **confiture d'algues**
Porter à ébullition 1 litre d'eau, les feuilles de nori, le gingembre, les algues kombu puis laisser cuire à frémissement jusqu'à obtenir une texture fondante. Mixer au blinder afin d'obtenir une texture bien lisse puis monter à l'huile d'olive.

03/ **courgette violon et maquereau**
Tourner les courgettes, les cuire à l'anglaise 2 minutes (les garder croquantes), refroidir dans une glaçante, les égoutter, les creuser et les garnir avec la confiture d'algues. Lever les filets de maquereaux (réserver le reste), les faire mariner au gros sel 6 minutes puis les rincer. Faire réduire la liqueur de pêche, en lustrer les filets de maquereaux. Cuire le reste de maquereaux dans le vinaigre blanc, émietter, former une petite boule puis la passer dans la farine, dans l'œuf battu puis dans la chapelure et frire à 180 °C pendant 2 minutes.

04/ **finition et dressage**
Sortir l'assiette de gelée de pêche du réfrigérateur, ajouter les courgettes farcies. Poser un morceau de maquereau mariné sur chaque courgette et disposer quelques beignets ronds de maquereaux autour. Tailler la pêche de vigne en une fine brunoise et en parsemer la gelée.

raviolis de ricotta légèrement fumée, compotée de tomates aux câpres

pâtes
4 personnes

01/ **pâte à ravioli**
300 g de farine type 00
3 œufs
30 g de concentré de tomates
farce des raviolis
50 g de mozzarella di bufala
25 g de ricotta
25 g de gorgonzola
2 pêches fraîches
Sel
Poivre blanc

02/ 10 tomates Cornue des Andes
2 gousses d'ail
100 g de sucre semoule
2 badianes
1 piment oiseau
15 cl d'huile d'olive Château Virant
5 g de fleur de sel de Camargue
Poivre blanc Sarawak

03/ 1 courgette violon
1 échalote
60 g de lard de montagne
aux herbes
15 cl de fond blanc
5 cl d'huile d'olive
Sel
Poivre blanc

04/ 20 câpres surfines
Pérugine au fenouil

01/ **raviolis**
pâte à ravioli / Dans la cuve d'un batteur, mélanger la farine, les œufs et le concentré de tomates. Une fois le mélange homogène, mettre la pâte sous vide afin d'obtenir une meilleure élasticité
farce / Tailler la mozzarella et les pêches en petits cubes puis les mélanger avec la ricotta et le gorgonzola, saler, poivrer.
réalisation des raviolis / Étaler le plus fin possible la pâte au laminoir puis tailler des bandes de 8 cm de long sur 4 cm de large. Poser la farce sur la moitié inférieure de chaque bande de pâte et replier la pâte pour former un carré. Souder les bords des raviolis avec un pinceau trempé dans l'eau. Laisser sécher une nuit au réfrigérateur.

02/ **compotée de tomates**
Éplucher et émincer l'ail, le faire suer sans coloration à l'huile d'olive pendant 10 minutes, saler, verser ensuite le sucre semoule et laisser cuire 10 minutes. Ajouter les tomates taillées en deux, donner six tours de moulin à poivre, ajouter la badiane, le piment oiseau puis cuire à couvert au four à 110 °C pendant 2 h 40. Laisser refroidir, goûter et rectifier l'assaisonnement.

03/ **crémeux de courgette**
Éplucher et émincer l'échalote, la faire suer à l'huile d'olive puis ajouter le lard de montagne en petits cubes et la courgette coupée en morceaux. Verser le fond blanc, laisser cuire 15 minutes, mixer finement et passer au chinois fin. Rectifier l'assaisonnement.

04/ **finition et dressage**
Cuire les raviolis 4 minutes dans l'eau bouillante et égoutter. Disposer dans une assiette la compotée de tomates puis les raviolis, saucer avec le crémeux de courgette chaud. Faire frire les câpres. Tailler en fines lamelles la pérugine et la poêler à l'huile d'olive. Disposer les câpres et les lamelles de pérugine autour des ravioles. Faire frire à 180 °C quelques morceaux de pâte à ravioli pour former des chips et en ajouter quelques-unes dans l'assiette.

truite saumonée en croustillant aux amandes, chou-rave glacé à la citronnelle, sauce Bellini

**poissons
4 personnes**

01/ 2 truites saumonées
Gros sel

02/ 200 g de purée de pêches
50 cl de champagne
7 cl de liqueur de pêche

03/ 1 chou-rave
1 gousse d'ail
1 branche de thym
20 g de beurre
10 cl de fond de volaille
50 g de purée de citronnelle
Sel

04/ 20 g de sucre
20 g de glucose
20 g de farine
20 g de beurre
20 g d'amandes effilées

05/ Feuilles de verveine fraîches
12 girolles boutons
Huile d'olive
Fleur de sel

01/ **truite**
Lever les filets des truites puis les laisser mariner 6 minutes au gros sel. Rincer les filets sous l'eau froide puis les poser sur un linge de manière à bien les sécher. Cuire ensuite les filets à la salamandre côté peau et retirer la peau après cuisson. Réserver les filets en étuve à 38 °C.

02/ **sauce Bellini**
Mélanger la purée de pêches avec le champagne puis ajouter la liqueur de pêche. Réduire selon la consistance souhaitée.

03/ **chou-rave**
Détailler des palets de chou-rave de 1 cm d'épaisseur. Dans un petit sautoir, disposer les palets, le beurre, la gousse d'ail écrasée, le thym, le fond de volaille, la purée de citronnelle, saler et cuire jusqu'à ce que les palets soient glacés, bien brillants et fondants.

04/ **tuile aux amandes**
Mélanger le sucre, le glucose, le beurre et la farine au batteur puis étaler l'appareil sur un Silpat. Parsemer d'amandes effilées puis cuire au four à chaleur sèche à 170 °C pendant 10 minutes.

05/ **finition et dressage**
Disposer sur un côté de l'assiette le filet de truite surmonté d'une tuile aux amandes, dessiner des points de sauce Bellini au centre, puis, de l'autre côté de l'assiette, disposer les palets de chou-rave. Faire frire des feuilles de verveine à 180 °C et en décorer les palets de chou-rave. Finir par quelques girolles boutons passées sous la salamandre avec un filet d'huile d'olive et de la fleur de sel.

caille marinée à la liqueur de pêche, pêche poêlée, garniture Wilson, sauce salmis

viandes
4 personnes

01/ 4 cailles
25 cl de liqueur de pêche de vigne
Huile d'olive
2 gousses d'ail
Thym
Gros sel

02/ 20 cl de jus de caille
200 g de foie gras

03/ 8 oignons fanes
8 mini-carottes
8 asperges
4 pois gourmands
4 mini-navets
Huile d'olive
Fleur de sel

04/ 4 pêches fraîches
50 cl d'eau
125 g de sucre semoule
Beurre

01/ **caille (à réaliser la veille)**
Lever les filets et les cuisses des cailles puis mettre à mariner dans la liqueur de pêche pendant 24 heures. Réserver les carcasses et les foies pour réaliser le jus. Poêler les filets de cailles à la minute côté peau dans une poêle bien chaude avec un filet d'huile d'olive. Mettre les cuisses dans du gros sel pendant 4 heures avec l'ail coupé en fines lamelles et le thym. Les rincer, les recouvrir d'huile d'olive puis les cuire au four à 60 °C pendant 2 heures.

02/ **sauce salmis**
Réaliser un jus avec les carcasses des cailles (voir recette « Canette laquée aux épices douces »). Ajouter les foies de cailles et le foie gras taillés en fine brunoise.

03/ **garniture Wilson**
Cuire les mini-carottes, les oignons fanes, les asperges, les pois gourmands et les mini-navets à l'anglaise puis les refroidir dans une eau glacée de manière à garder leur belle couleur. Pour l'envoi, réchauffer les légumes avec un filet d'huile d'olive et ajouter de la fleur de sel.

04/ **pêche poêlée**
Couper les pêches en quartiers puis les mettre dans un bac. Réaliser un sirop avec l'eau et le sucre, le chauffer puis le verser sur les quartiers de pêche, laisser infuser 15 minutes. Dans une poêle, faire colorer les quartiers de pêches au beurre de manière à leur donner une légère coloration, égoutter sur un linge.

05/ **finition et dressage**
Disposer un filet de caille et une cuisse dans l'assiette, puis dessiner une virgule de sauce salmis. Disposer harmonieusement la garniture Wilson à côté de la caille. Pour finir, déposer les quartiers de pêche à côté de la garniture.

pêches tranchées façon Melba, crème glacée caramel et jus de fruits acidulé

**desserts
4 personnes**

01/ 45 g de fondant
30 g de glucose
18 g de brisure de crêpe

02/ 45 g de fondant
30 g de glucose

03/ 50 g de sucre
25 g de crème fleurette
150 g de lait entier
1,5 g de fleur de sel
46,3 g de jaunes d'œufs
11,8 g de sucre

04/ 3 pêches jaunes
37,5 g de sucre
25 g d'eau
17,5 g de beurre
Poudre de vanille
Poudre de fève de tonka

01/ **croquant éclat de crêpe**
Chauffer le glucose avec le fondant dans une casserole, et cuire à 155 °C. Refroidir, mixer en poudre avec la brisure de crêpe. Tamiser sur une feuille Silpat légèrement graissée, réaliser des formes de pêche avec la queue à l'aide d'un pochoir. Passer quelques instants au four à 180 °C et stocker à l'abri de l'humidité.

02/ **croquant transparent**
Chauffer le glucose avec le fondant dans une casserole, et cuire à 155 °C. Refroidir, mixer. Tamiser sur une feuille Silpat légèrement graissée, réaliser des formes de pêche à l'aide d'un pochoir. Passer quelques instants au four à 180 °C et stocker à l'abri de l'humidité.

03/ **glace caramel**
Chauffer le lait avec la crème et la fleur de sel. Cuire les 50 g de sucre à sec puis le décuire avec le lait chaud. Ajouter les jaunes blanchis avec les 11,8 g de sucre et cuire à 83 °C. Faire maturer puis turbiner.

04/ **pêche rôtie à la vanille**
Couper les pêches en quartiers. Faire un caramel avec le sucre et 12,5 g d'eau dans une casserole. Ajouter ensuite les 12,5 g d'eau restants pour décuire puis ajouter le beurre. Plonger les quartiers de pêches dans le caramel, les saupoudrer de vanille et de fève de tonka, puis les passer 5 minutes au four à 250 °C.

05/ **jus de fruits acidulé**
Mixer ensemble les groseilles et les framboises puis cuire 15 minutes avec l'eau et la menthe. Passer au chinois étamine.

06/ **mousse à la pêche**
Chauffer la pulpe de pêches et le sucre semoule puis incorporer la gélatine ramollie. Refroidir avant d'ajouter la crème montée. Verser dans un cadre et refroidir. Détailler des ronds de 6 cm de diamètre et évider le centre à l'emporte-pièce de 4 cm de diamètre.

07/ **tartare pêche pomme verte**
Couper les pêches et la pomme en petits dés. Mettre les dés de pomme dans un peu d'eau avec de l'acide citrique et réserver au frais. Cuire les dés de pêche dans de l'eau sucrée quelques secondes et réserver.

08/ **finition et dressage**
Réaliser le montage de la pêche : poser à plat un croquant éclat de crêpe, poser dessus un cercle de mousse à la pêche garni en son centre de tartare pêche pomme verte, puis recouvrir d'un croquant transparent. Dans une assiette, disposer deux pêches ainsi réalisées. Ajouter deux quartiers de pêche rôtie, des points de jus de fruits acidulé et une quenelle de glace caramel.

05/ 120 g de groseilles
40 g de framboises
50 g d'eau
4 feuilles de menthe

06/ 100 g de pulpe de pêches
40 g de sucre semoule
1 feuille de gélatine
60 g de crème montée

07/ 3 pêches plates
1 pomme verte
Acide citrique

la pêche plate
juin

**pêches tranchées
façon Melba,
crème glacée
caramel et jus
de fruits acidulé**

juillet

la courgette violon

Une Niçoise sans salades

De petite taille mais haute en couleur dans sa robe vert pâle, le profil allongé, de forme avantageuse, ferme et la peau mince, fraîche et craquante, surtout lorsqu'elle est surmontée d'une ravissante fleur jaune vif, la jeune Niçoise est la régionale de l'étape.

Rapportée par les conquistadors du Nouveau Monde où elle était cultivée plus de mille ans avant notre ère, la courgette est une courge cueillie très jeune, bien avant sa maturité. Si elle symbolise l'abondance et la fécondité dans certains pays d'Afrique ou d'Asie, c'est surtout pour ses qualités gustatives qu'elle s'impose au XVIIe siècle dans les potagers aristocratiques d'Europe. Le bassin méditerranéen et notamment l'Italie vont rapidement devenir sa terre d'élection, et elle s'imposera plus tardivement en France, vers le XIXe siècle. C'est le climat niçois qui se révèle le plus propice au développement de son espèce emblématique, la courgette violon, également appelée « longue de Nice » ou « trompette », une plante coureuse qui peut atteindre facilement plusieurs mètres d'envergure. Très gourmande en eau, elle est récoltée de mai à fin août, période au-delà de laquelle elle attrape plus facilement les maladies. Au bout de longues tiges, sa fleur odorante attire le bourdon butineur. Les fleurs mâles, stériles, sont enlevées tôt pour ne pas freiner la fructification et sont consommées fraîches alentour, farcies ou en beignets.

C'est dans les cuisines du *Louis XV*, le 3 étoiles d'Alain Ducasse qui règne sur l'*Hôtel de Paris* à Monte-Carlo, que Denis Fétisson la découvre avec fascination, parmi les plus beaux produits de la Côte d'Azur que Franck Cerutti, le chef des restaurants, reçoit chaque matin. Il tombe en admiration devant cette belle aux formes biscornues, sa couleur puissante, les délicates enluminures de sa chair striée de nervures marbrées vert tendre et jaune bouton d'or. Il apprend à sélectionner les meilleures, d'une extrême fraîcheur et de petit calibre. Celle-ci, longue et ferme, celle-là, brillante et rebondie, ou encore cette dernière à la couleur régulière, à la peau sans taches et à la coupe de la

tige blanche. Il comprend vite que plus elle est jeune, moins elle aura de pépins, plus ses fibres seront tendres, et plus elle sera digeste.

Il n'aura de cesse d'imposer à sa table cette compagne indispensable à toute cuisine du Midi. Une fille du Sud qui a ses élégances et ne se laisse consommer que dans les jours qui suivent sa récolte, surtout à domicile. Et non contente de séduire les gastronomes, elle se préoccupe de leur bien-être. Au stade de maturité optimale, après plusieurs mois de croissance, ses taux de sucre et de bêta-carotène sont importants. Constituée de 90 % d'eau, elle est très peu énergétique, riche en fibres, mais également pauvre en protide, lipide et glucide.
De même que le vrai carnivore préfère un filet de bœuf bleu plutôt que cuit à point, le chef recommande à l'amateur de goûter la courgette crue pour en retrouver les saveurs d'origine au plus près. Cependant, cuite, il la décline à l'infini, à condition que l'opération soit très rapide, pour lui conserver ses arômes : à l'étouffée, à la vapeur, poêlée, sautée, passée au four, revenue dans un peu d'huile d'olive, en omelette, frite, en gratin, en soupe ou en beignet ; il évite seulement la cuisson à l'eau qui la rendrait insipide.

Denis Fétisson enrobe la fleur de courgette d'une pâte très légère qui ne l'emprisonne pas, façon tempura japonaise, y ajoute une pointe d'ail haché, puis il la plonge dans une huile neutre pour en conserver le fondant au cœur d'un croustillant qui assure un équilibre parfait entre saveurs. Râpée en julienne, la chair accompagne d'une très légère amertume la douceur d'un filet de denti assaisonné d'anchois, tomate confite et amande grillée, délicatement ourlé d'une sauce de cabillaud à l'ail et au safran. En velouté monté avec de l'huile d'olive et du caillé de brebis, elle rehausse d'acidulé la fraîcheur de copeaux de légumes primeurs – courgette, carotte, fenouil et radis – marinés à l'huile de romarin. En garniture de brunoise d'abricot, liqueur de figue, elle apporte moelleux et délicatesse à une émulsion de homard au piment de Cayenne, échalote et armagnac, mélangée à une farce fine de saumon et Saint-Jacques assaisonnée d'un zeste de citron vert. En rondelles saisies à l'huile d'olive d'une frittata d'œufs entiers, pignons, olives de Nice et basilic, elle dépose une légère saveur de noisette sur un gigot poudré de gingembre, cardamome verte et cannelle, caramélisé d'un déglacé de jus d'orange, citron et pamplemousse.
Pascal Giry portera l'estocade avec la fulgurance d'une cristalline de fleur qui caressera de sa finesse un dôme de mini-ratatouille sucrée aux abricots, kiwis, dattes et marjolaine. |

velouté servi glacé, caillé de brebis, légumes croquants et amandes fraîches

entrées
4 personnes

01/ 2 courgettes violon
2 cl d'huile d'olive Château Virant
2 g de sel de Camargue
1 botte de persil
120 g de caillé de brebis

02/ 1 l d'huile d'olive
100 g de romarin frais
10 baies de genièvre
10 clous de girofle
1/2 noix de muscade
8 g de sel fin
2 cl d'armagnac
10 cl de porto blanc
80 g de sucre en poudre
8 cl de vinaigre de vin rouge

03/ 1 courgette violon
1 carotte fane
2 radis ronds
1 mini-fenouil
4 amandes fraîches
Un peu de lait

01/ **velouté de courgette**
Laver les courgettes, couper les deux extrémités puis les couper en rondelles. Les cuire dans une eau bouillante salée 12 minutes, les égoutter (réserver l'eau de cuisson), puis mixer et monter à l'huile d'olive. Saler et refroidir aussitôt. Dans l'eau de cuisson des courgettes, ébouillanter les feuilles de persil, les mixer en fine purée puis réserver.

02/ **vinaigrette au romarin**
Mélanger tous les ingrédients dans un bac en inox. Filmer et laisser infuser au four vapeur à 80 °C pendant 40 minutes puis passer au chinois fin.

03/ **légumes Wilson**
Laver et tailler tous les légumes en fins copeaux et les conserver dans de l'eau avec des glaçons. Peler les amandes fraîches et les conserver dans du lait au frais.

04/ **finition et dressage**
Dresser le velouté de courgette glacé dans un bol, déposer le caillé de brebis dessus, ajouter la fleur de sel et l'huile d'olive et quelques points de purée de persil. Égoutter les copeaux de légumes et les assaisonner avec la vinaigrette au romarin et la fleur de sel. Les dresser sur le caillé de brebis, finir avec les amandes fraîches et servir le tout bien frais.

la courgette violon
juillet

fines ravioles aux feuilles de coriandre, homard en salpicon, matignon courgette abricot

pâtes
4 personnes

01/ **pâte à raviole**
500 g de farine type 00
5 œufs
5 cl d'huile d'olive Château Virant
5 g de sel fin
farce
1 homard breton
1 échalote
200 g de filet de saumon
200 g de noix de Saint-Jacques
40 cl de crème fraîche
à 35 % de matière grasse
5 g de sel fin
2 cl d'armagnac
1 citron vert
2 branches d'estragon
2 g de piment de Cayenne

02/ 1 courgette violon
2 abricots mûrs
2 cl de liqueur de figue
1 g de fleur de sel
2 cl d'huile d'olive Château Virant

03/ 1 carcasse de homard
1 carotte
1/2 fenouil
1 échalote
1 gousse d'ail
4 cl d'armagnac
10 g de tomate concentrée
30 cl de lait entier
20 cl de crème liquide
10 g de beurre

01/ **fines ravioles**
pâte à raviole / Dans la cuve d'un batteur, mélanger la farine, les œufs, l'huile d'olive et le sel. Mettre ensuite la pâte sous vide afin de bien la serrer et pouvoir la travailler plus facilement.
farce / Cuire le homard dans l'eau bouillante salée pendant 6 minutes, le refroidir dans une eau glacée, le décortiquer et le couper en brunoise. Faire mariner le homard avec l'échalote ciselée, l'armagnac, les zestes et jus de citron vert, le piment de Cayenne et l'estragon concassé puis garder au frais. Couper le filet de saumon en gros cubes, les mixer avec les Saint-Jacques puis ajouter la crème. Une fois l'appareil bien lisse, saler. Mélanger la mousse avec le homard mariné.
réalisation des fines ravioles / Étaler la pâte le plus fin possible et la couper en deux grands rectangles. Disposer la farce en petits tas sur une des deux pâtes, recouvrir de la seconde pâte et les souder à l'aide d'un emporte-pièce de 5 cm de diamètre sans les couper. Découper la pâte à l'aide d'un emporte-pièce cannelé de 6 cm de diamètre pour former les ravioles et réserver au frais.

02/ **matignon de courgette abricot**
Tailler la courgette violon et les abricots en Matignon (petits dés), les assaisonner à la minute avec la liqueur de figue, la fleur de sel et l'huile d'olive.

03/ **sauce américaine**
Faire colorer la carcasse de homard au four à 180 °C pendant 12 minutes. Couper la carotte, le fenouil, l'ail et l'échalote en mirepoix puis les faire colorer à feu vif à l'huile d'olive. Ajouter la tomate concentrée puis la carcasse de homard, déglacer à l'armagnac et flamber. Mouiller à hauteur puis réduire de trois quarts. Passer au chinois fin, ajouter la crème et le lait. Faire frémir, retirer du feu et ajouter le beurre. Émulsionner avant de servir.

04/ **finition et dressage**
Cuire les ravioles 3 minutes dans une eau salée à 90 °C. Égoutter délicatement. Mouler la Matignon dans des cercles puis dresser. Ajouter les fines ravioles et la sauce américaine. Couper trois fines rondelles de courgette crue à la mandoline et en décorer l'assiette.

denti confit aux gousses d'ail nouveau, truffes en écailles, spaghettini de courgettes aux petits appétits

**poissons
4 personnes**

01/ 1 gros filet de denti sauvage
150 g de gros sel
50 cl d'huile d'olive
1 tête d'ail rose
1 truffe d'été
5 cl de jus de veau
Sel

02/ 2 courgettes violon
2 cl d'huile d'olive Château Virant
2 cl de vinaigre balsamique blanc
2 anchois salés
2 pétales de tomate confite
10 olives taggiasche
15 g d'amandes en bâtonnet torréfié
4 g de fleur de sel de Camargue
1/2 citron confit
Poivre

03/ 600 g de cabillaud
1 poivron jaune
1 tomate jaune
200 g de mangue mûre
12,5 cl d'huile d'olive
5 cl de vinaigre fruit de la passion
2 g de safran de Provence
Sel

01/ **préparation et cuisson du denti**
Saupoudrer le filet de denti de gros sel. Le laisser ainsi 8 minutes puis le rincer à l'eau froide, le sécher entre deux torchons, puis le portionner dans la largeur à 80 g. Couper la tête d'ail en deux, la faire colorer vivement puis verser l'huile d'olive. Saler, laisser infuser 12 heures à 45 °C puis monter la température à 56 °C. Plonger alors le denti et cuire à 52 °C à cœur. Réserver l'ail confit pour le condiment kokotxa. Tailler la truffe d'été en lamelles et les faire juste tiédir dans un jus de veau réduit.

02/ **spaghettini de courgettes**
Laver les courgettes, les tailler dans la longueur en julienne. Hacher finement les olives, les pétales de tomate confite, les anchois, le citron confit et ajouter le tout aux courgettes. Saler et poivrer, ajouter l'huile d'olive et le vinaigre puis les amandes. Bien mélanger.

03/ **condiment kokotxa**
Cuire le poivron jaune au four à 180 °C pendant 6 minutes puis retirer la peau. Couper le poivron en deux, l'épépiner et retirer l'intérieur afin de ne garder que la chair bien jaune. Passer la tomate jaune au chalumeau, retirer la peau, épépiner et saler afin de faire dégorger l'eau de végétation. Faire pocher le cabillaud dans l'huile 20 minutes à 70 °C. Une fois cuit, le retirer et le mixer avec la chair de poivron, la chair de tomate, la mangue, l'ail confit réservé lors de la préparation du denti et le safran de Provence. Monter à l'huile d'olive de cuisson et finir par le vinaigre de passion. Saler.

04/ **finition et dressage**
Réchauffer le denti dans son huile de cuisson à 60 °C pendant 2 minutes. Le disposer au centre de l'assiette puis poser les lamelles de truffes dessus. Chauffer la kokotxa sans faire bouillir et tracer un trait en forme de goutte. Assaisonner les spaghettini à la minute et, à l'aide d'une fourchette, former de petites boules.

la courgette violon
juillet

gigot d'agneau de lait fondant lustré aux épices, frittata aux pignons de pin et tomates confites

viandes
4 personnes

01/ 1 gigot d'agneau de lait
     des Pyrénées
     1 citron jaune
     1 crépine
     2 g de poudre
     de cardamome verte
     2 g de poudre de gingembre
     2 g de poudre de cannelle
     2 g de piment d'Espelette
     10 g de fleur de sel de Camargue
     Huile d'olive

02/ 2 courgettes violon
     2 cl d'huile d'olive Château Virant
     10 g de pignons de pin torréfiés
     10 olives de Nice
     4 pétales de tomate confite
     6 feuilles de basilic frais
     6 œufs entiers
     10 cl de lait entier
     4 g de sel fin
     20 g de beurre

03/ 3 oranges à jus
     1 pamplemousse rose
     3 citrons jaunes
     1 citron vert
     4 g de poudre
     de cardamome verte
     4 g de poudre de gingembre
     6 g de cannelle en poudre
     250 g de sucre semoule

04/ Quelques girolles
     Huile d'olive
     Fleur de sel

01/ **préparation et cuisson du gigot**
Désosser le gigot, bien l'aplanir puis l'assaisonner avec les zestes de citron jaune, les poudres d'épices, la fleur de sel et le piment d'Espelette. Rouler le gigot dans du film alimentaire afin de lui donner une belle forme puis le faire prendre 10 minutes au grand froid. Le rouler ensuite dans la crépine et le ficeler. Le faire colorer légèrement à l'huile d'olive, puis laisser refroidir. Mettre sous vide avec l'huile d'olive et cuire au four vapeur à 70 °C pendant 12 heures. Refroidir et portionner le gigot en rondelles.

02/ **frittata**
Couper les courgettes en rondelles et les disposer en rosace dans une poêle à blinis beurrée. Mélanger les œufs, le lait, les pignons, les olives, les pétales de tomate confite puis le basilic. Verser ce mélange dans la poêle à blinis sur les courgettes, saler et cuire l'ensemble à l'unilatérale. Garder la frittata baveuse.

03/ **sauce condiment caramel**
Faire un caramel avec le sucre, déglacer avec le jus d'agrumes puis ajouter les épices. Faire bouillir 3 minutes (la consistance doit rester liquide).

04/ **finition et dressage**
Chauffer le gigot au four vapeur à 70 °C puis le laquer avec le caramel aux épices et ajouter un peu de fleur de sel. Disposer la frittata baveuse au centre de l'assiette et les rondelles d'agneau sur le côté. Garnir de quelques girolles juste assaisonnées à l'huile d'olive et fleur de sel et passer quelques minutes à la salamandre.

délicate fleur de courgette cristalline, chibouste à la verveine, mini-ratatouille sucrée

**desserts
4 personnes**

01/ 4 fleurs de courgette
500 g d'eau
Arôme safrané
Blanc d'œuf
Sucre cristallisé

02/ 1 abricot
1 kiwi
1,5 datte
Marjolaine

03/ 125 g de lait entier
25 g de sucre
60 g de jaunes d'œufs
12 g de poudre à crème
2 feuilles de gélatine
60 g de blancs d'œufs
17,5 g de sucre
3,75 g de verveine

04/ 125 g de sucre glace
21 g de blancs d'œufs
0,5 g de vinaigre blanc
Sucre semoule

01/ **fleur de courgette (à réaliser la veille)**
Placer l'eau, les fleurs de courgette et l'arôme dans un Gastrovac, cuire à une température de 40 °C pendant 7 minutes et laisser refroidir dans le jus de cuisson. Sortir ensuite les fleurs, les couper en deux, les napper de blanc d'œuf et les saupoudrer de sucre cristallisé.
Faire sécher à l'étuve 24 heures.

02/ **mini-ratatouille sucrée**
Couper tous les fruits en petits cubes, les mélanger, ajouter un peu de marjolaine et réserver au frais.

03/ **chibouste verveine**
Faire tremper la gélatine dans l'eau glacée. Blanchir au fouet les jaunes avec le sucre et incorporer la poudre à crème. Chauffer le lait et faire infuser la verveine quelques instants. Ajouter ensuite les jaunes blanchis dans le lait aromatisé à la verveine, cuire 2 minutes et ajouter la gélatine. Monter les blancs avec le sucre puis l'additionner à la crème tiède. Verser dans des moules demi-sphériques et creuser le centre.

04/ **fleur de sucre**
Monter les blancs avec le sucre glace et le vinaigre puis étaler sur une feuille Silpat. Réaliser des formes de fleur à l'aide d'un pochoir et saupoudrer de sucre semoule. Sécher pendant 5 heures à l'étuve.

05/ **framboise pépin**
Dans une casserole, cuire pendant 15 minutes les framboises, le sucre, la pectine et le jus de citron. Ajouter ensuite le nappage et mixer pendant 10 minutes. Réaliser des formes de fleur à l'aide d'un pochoir.

06/ **glace safran (à réaliser la veille)**
Faire bouillir le lait et la crème avec un quart du sucre, ajouter le safran, laisser infuser 1 heure. Blanchir les jaunes avec le restant de sucre puis verser dans le lait aromatisé. Cuire le tout à 83 °C et passer au chinois étamine. Maturer 24 heures, mixer et turbiner.

07/ **gelée à la verveine**
Réaliser un sirop avec l'eau et le sucre, ajouter les brins de verveine et faire réduire pendant 20 minutes. Mixer et passer au chinois fin.

08/ **finition et dressage**
Décorer l'assiette avec une fleur de framboise pépin. Poser le dôme à la verveine garni de mini-ratatouille. Surmonter le dôme de la fleur de sucre et parsemer l'assiette de points de gelée à la verveine. Finir par une quenelle de glace safran et une cristalline de fleur de courgette.

05/ 100 g de framboises
60 g de sucre
1,5 g de pectine NH
10 g de jus de citron
45 g de nappage neutre

06/ 100 g de lait entier
1 jaune d'œuf
30 g de sucre en poudre
1 pincée de safran
15 g de crème
à 35 % de matière grasse

07/ 200 g d'eau
150 g de sucre
Quelques brins de verveine

la courgette
violon
juillet

**délicate fleur de
courgette cristalline,
chibouste
à la verveine,
mini-ratatouille
sucrée**

août

la tomate

Ah ! la mûre, toujours la mûre...

Espiègle, potelé, ce légume-fruit rubicond est à lui seul une promesse d'été. Remontent à la mémoire des souvenirs d'enfance sous les platanes, sa tiédeur rondelette dans la paume de la main, sa peau délicate qui se déchire sous la dent, sa pulpe moelleuse qui se dépose sur la langue tandis qu'un jus sucré se faufile à la commissure des lèvres, aimable transgression de l'interdit urbain de manger avec les doigts...

Originaire des Andes, elle est domestiquée au Mexique d'où les conquistadors, encore eux, la rapportent au pays où elle est cultivée et consommée en gaspacho. Introduite au royaume de Naples, alors possession de la couronne espagnole, elle se répand en Italie mais tarde à être consommée dans le reste de l'Europe où elle est considérée comme une plante d'ornement, voire médicinale puisqu'elle appartient à la même famille que la belladone. Ce n'est qu'au XVIIe siècle qu'elle arrive dans le Midi en tant que fruit comestible, et à partir de 1790 qu'elle se diffuse partout en France, « montant à Paris » avec les Provençaux à l'occasion de la fête de la Fédération. Longtemps appelée « pomme d'amour » – un galant revenu « des isles » en aurait offert les premières graines à sa dulcinée –, elle prend le nom de « tomate » au XIXe siècle seulement.
Depuis, devenue un élément incontournable de l'alimentation mondiale, et tout particulièrement de la gastronomie dans le bassin méditerranéen, elle a fait l'objet d'innombrables recherches génétiques en vue de son amélioration. Aussi représente-t-elle près du tiers des

surfaces consacrées à la culture des légumes à travers le monde. Elle se cultive sous presque toutes les latitudes, mais, en bonne plante de climat tempéré chaud – sa température idéale de croissance se situe entre 15 et 25 °C, elle préfère un cache-col en cas de gel et raffole des journées longues –, elle n'apprécie le plein champ en France qu'en terre provençale. Sa période de végétation est assez longue et il faut compter ici jusqu'à cinq à six mois entre les semis et la première récolte en été. Celle-ci est toujours manuelle et se fait généralement à un stade de maturité incomplète. En revanche, en bonne star, elle est victime de son succès et on lui connaît beaucoup d'ennemis : insectes, limaces, maladies cryptogamiques, bactériennes ou virales, ce qui en complexifie la culture.

Diététique, riche en eau, en sels minéraux – dont une moitié de potassium –, en vitamines C et E, elle favorise l'élimination des toxines et emporte tous les suffrages auprès des diététiciens et du corps médical. Elle est d'ailleurs réputée pour ses vertus apéritives car sa note acidulée stimule les sécrétions digestives et prépare à une bonne assimilation. Par ailleurs, on lui attribue une action préventive contre les maladies cardiovasculaires et contre le développement de certains cancers grâce à la forte teneur en lycopène qui lui donne sa belle couleur rouge.

Bien que coutumier de la belle depuis sa plus tendre enfance, c'est pour une Espagnole plantureuse que Denis Fétisson a connu son premier vrai béguin. Aux îles Baléares, une vieille paysanne extrait du potager sous ses yeux quelques fruits aux formes ahurissantes et lui prépare un gaspacho dont il se souviendra toute sa vie du velouté parfumé. Depuis, comme il se doit, il fête la pomme d'amour à l'arrivée de l'été. Son seul regret est de n'avoir jamais pu retranscrire dans sa cuisine l'odeur particulière des tiges, un parfum herbacé, racé, dont il s'enivrait en parcourant les plants du potager de ses parents, croulant sous des fruits tièdes, gorgés de soleil. Pour le goût, il choisit les tomates « à point », bien mûres mais pas excessivement. Si leur chair se fend, s'écrase facilement ou que l'empreinte du doigt reste marquée dedans, il les réserve pour sauces et coulis. Autrement, il les préfère encore fermes, avec une peau bien lisse, de couleur uniforme, exempte de taches. Mais le vrai critère de qualité reste l'odeur, très parfumée. Pour le reste, si c'est ronde et rouge que la tomate est la plus consommée, il se réserve la possibilité d'en sélectionner de toutes les formes et de toutes les couleurs, l'essentiel étant qu'elles soient charnues et juteuses. Ensuite il les conserve à température ambiante jusqu'à la préparation.

Qu'elles soient à la « croque au sel », en salade, en ratatouille, farcies ou bien en chutney pour accompagner une viande, elles apportent, grâce à leur pulpe juteuse d'un goût légèrement aigrelet, une note de fraîcheur et d'acidité aux tables d'été. Tout en offrant de la tenue à la cuisson, cette compagne charnue ensoleille tous les plats et les égaye de couleurs comme de saveurs.

Finement taillée en carpaccio, elle ajoute un parfum complexe aux accents iodés d'un lit d'algues kombu et de cristes-marines au gingembre, relevé d'amandes épluchées et de crevettes grises. Concentrée – mélangée à de la farine et des œufs en pâte à raviole – et cuite en confiture – mondée, épépinée et concassée sans jus –, elle agrémente et relève une mousse tapenade à la crème montée sur une émulsion de cébette et marjolaine.
Mixée et assaisonnée au balsamique blanc, puis mélangée à une savoureuse pâte parmesan bien dorée, elle offre à un saint-pierre mariné dans l'huile de thym son équilibre subtil, entre sucres et acides, qui le parfume d'arômes volatils.
Ou confite pendant quarante-huit heures avec une joue de bœuf marinée au vin rouge et flambée au fenouil et romarin, elle rehausse de son rustique acidulé la bolognaise déglacée au vin et la duxelles d'échalotes ciselées qui nappent la pâte macaroni d'accompagnement.
Le voyage du menu qui lui est réservé s'achèvera en apothéose en la présentant telle une offrande cuite, inondant de son sucre résiduel un lustrage de coulis de fruits rouges, farcie de riz au lait citronné, avec son tartare de fraise à la coriandre. Transformée en poudre, elle adoucira la note d'amertume du sorbet à l'huile d'olive et l'acidité des points de jus de pomme granny. |

carpaccio de tomates ananas laqué aux algues marines, délicate gelée au citron vert et crevettes grises

**entrées
4 personnes**

01/ 450 g de sucre semoule
50 cl de vinaigre blanc
150 g de gingembre frais
75 g de gingembre saumure

02/ 100 g de cristes-marines
100 g de nori
60 g de gingembre confit
100 g d'algues kombu
1 l d'eau
20 cl d'huile d'olive

03/ 1 kg de têtes de langoustines
1 carotte
2 oignons paille
2 branches de céleri
2 gousses d'ail
1 branche d'estragon
2 l d'eau
10 feuilles de gélatine or
1 citron vert

04/ 2 grosses tomates ananas
2 cl d'huile d'olive
20 crevettes grises
Fleur de sel
4 g de piment d'Espelette
25 g de cristes-marines
4 amandes fraîches

01/ **vinaigre de gingembre (à préparer 10 jours avant)**
Dans une casserole, mélanger le sucre, le gingembre frais épluché, le gingembre saumure et le vinaigre blanc. Porter à ébullition puis baisser le feu et laisser infuser 20 minutes à couvert. Verser ensuite dans une bouteille, fermer avec un bouchon et laisser mariner 10 jours.
Faire mariner les crevettes grises dans le vinaigre de gingembre 2 minutes avant de servir.

02/ **confiture d'algues**
Faire suer les cristes-marines à l'huile d'olive à feu doux. Ajouter les feuilles de nori, le gingembre, les algues kombu et l'eau puis porter à ébullition. Laisser cuire à frémissement jusqu'à obtenir une texture fondante. Mixer ensuite au blinder puis monter à l'huile d'olive.

03/ **consommé de langoustines**
Faire colorer les têtes de langoustines au four. Couper les oignons en deux puis les faire colorer sur la plaque du fourneau. Dans une grosse marmite, verser les têtes de langoustines, les légumes entiers (carotte, céleri, ail), l'estragon, les oignons colorés et ajouter l'eau à hauteur. Faire bouillir, écumer puis cuire à frémissement 5 heures. Passer ensuite au chinois et faire réduire 15 minutes. Tremper les feuilles de gélatine dans de l'eau glacée, puis les ajouter au consommé. Couler le consommé dans une plaque inox d'une épaisseur de 5 mm, râper le citron vert dessus et faire prendre au frais. Découper des petits cercles à l'aide d'une douille unie. Réserver au froid.

04/ **finition et dressage**
Tailler les grosses tomates ananas en tranches de 5 mm d'épaisseur dans le sens de la largeur. Disposer dans une assiette un cercle de confiture d'algues, poser dessus les tranches de tomates en rosace, ajouter la fleur de sel, les petites crevettes grises marinées, assaisonner d'huile d'olive, de vinaigre de gingembre et de piment d'Espelette. Ajouter quelques petits cercles de consommé de langoustines. Finir avec les amandes fraîches et les petites tiges de criste-marine.

fines ravioles en douceur de tomates à l'origan, jus mousseux à la marjolaine

pâtes
4 personnes

01/ **pâte à raviole**
300 g de farine type 00
3 œufs
30 g de concentré de tomates
confiture de tomates à l'origan
10 tomates Cornue des Andes
1/2 fenouil bulbe
2 gousses d'ail
1/4 de céleri boule
2 échalotes
200 g de ricotta
50 g d'origan frais
50 g de sucre semoule
2 badianes
1 piment oiseau
15 cl d'huile d'olive Château Virant
5 g de fleur de sel de Camargue
Poivre blanc de Sarawak

02/ 500 g d'olives noires dénoyautées
50 g de mie de pain
4 feuilles de gélatine
3 g d'agar-agar
150 cl de crème liquide
Sel fin

01/ **fines ravioles (à réaliser la veille)**
pâte à raviole / Dans la cuve d'un batteur, mélanger la farine, les œufs et le concentré de tomates. Une fois le mélange homogène, mettre la pâte sous vide afin d'obtenir une meilleure élasticité.
confiture de tomates à l'origan / Éplucher et ciseler les échalotes, tailler en fine brunoise le céleri, le fenouil, l'ail, faire suer le tout à l'huile d'olive dans un rondeau 10 minutes sans coloration. Ajouter ensuite le sucre semoule et laisser cuire 10 minutes afin de confire les légumes. Ajouter enfin les tomates coupées en deux, saler, donner six tours de moulin à poivre, ajouter l'origan, la badiane, le piment oiseau puis cuire à couvert au four à 110 °C pendant 2 h 40. Laisser refroidir puis ajouter la ricotta. Rectifier l'assaisonnement si besoin.
réalisation des fines ravioles / Étaler la pâte à raviole le plus fin possible au laminoir. Former des lanières de 30 cm de longueur sur 15 cm de largeur. Déposer 10 g de confiture de tomates tous les 3 cm. Rabattre la pâte puis détailler des ravioles à l'aide d'un emporte-pièce dentelé de 6 cm de diamètre. Réserver les ravioles au frais un jour avant cuisson.

02/ **mousse d'olives noires**
Hacher finement les olives puis les mixer avec le pain de mie. Dans une casserole, faire bouillir la purée d'olives, ajouter l'agar-agar, saler et cuire 1 minute. Refroidir légèrement et ajouter la gélatine ramollie. Refroidir totalement. Monter la crème puis l'incorporer à la purée d'olives. Garder au frais 30 minutes avant utilisation.

03/ 100 g d'échalotes
1 gousse d'ail
50 cl de lait entier
25 cl de crème liquide
25 cl de fond blanc de volaille
1 botte de marjolaine
4 oignons cébettes
1 cl d'huile d'olive
Sel fin

04/ 1 tomate Green Zebra
1 tomate Noire de Crimée
1 tête de fenouil sauvage
Huile d'olive
Fleur de sel

03/ **mousseux de marjolaine**

Éplucher l'échalote et l'ail puis les émincer, tailler les cébettes en biseau. Faire suer le tout sans coloration à l'huile d'olive, saler, ajouter le fond blanc de volaille, laisser cuire 10 minutes à frémissement puis ajouter le lait et la crème. Finir par la marjolaine. Retirer du feu puis filmer la casserole. Laisser infuser 30 minutes puis passer au chinois fin. Goûter et rectifier l'assaisonnement si besoin.

04/ **finition et dressage**

Cuire les ravioles dans une eau frémissante salée 4 minutes. Dans une assiette demi-creuse, disposer les ravioles, ajouter un filet d'huile d'olive et de la fleur de sel. Former trois quenelles de purée d'olives et les disposer entre les ravioles. À l'aide d'un mixer plongeant, émulsionner le mousseux de marjolaine, récupérer la mousse sur le dessus et disposer entre les ravioles. Disposer les cœurs des tomates Noire de Crimée et Green Zebra entre les ravioles et finir avec la tête de fenouil sauvage.

la tomate
août

**fines ravioles
en douceur de
tomates à l'origan,
jus mousseux
à la marjolaine**

saint-pierre grillé à la fleur de thym, tarte à la tomate et pecorino sardo, coulis de Green Zebra

**poissons
4 personnes**

01/ 1 saint-pierre de 400 à 600 g
3 bottes de thym
de Saint-Julien-le-Montagnier
1 l d'huile d'olive
15 g de sel fin

02/ 50 g de farine T55
40 g de beurre
10 g de parmesan râpé
10 g de sucre glace
2 g de fleur de sel
6 g de jaunes d'œufs
10 g d'œufs
25 g de pecorino sardo
2 tomates grappe
1 jaune d'œuf pour la dorure

03/ 50 cl de jus de tomate
Green Zebra
5 cl de vinaigre balsamique blanc
2,5 g de xanthane
Sel fin

04/ 1 branche de thym

01/ **saint-pierre et huile de thym (à préparer 2 jours avant)**
Faire torréfier le thym au four à 180 °C pendant 4 minutes dans un récipient à rebord puis verser l'huile d'olive chaude. Saler. Retirer du four et laisser infuser à couvert dans un endroit tempéré pendant 2 jours. Lever les filets de saint-pierre puis retirer la peau. Les faire griller sur une face, les déposer dans l'huile de thym et laisser mariner 1 heure.

02/ **tarte tomate et pecorino**
Dans la cuve d'un batteur, mélanger la farine, le beurre et le sucre glace. Ajouter ensuite le parmesan râpé, finir par les jaunes, les œufs et la fleur de sel. Mélanger et laisser reposer la pâte 1 heure au frais. L'étaler ensuite à 5 mm d'épaisseur puis la découper à l'aide d'un cercle cannelé de 9 cm de diamètre. Lustrer au jaune d'œuf le dessus de la pâte, ajouter une pincée de fleur de sel puis passer au congélateur 10 minutes. Cuire ensuite à four sec 8 minutes à 165 °C. Couper les tomates en deux puis en fines lamelles. Couper également le pecorino en fines lamelles. Sur le rond de pâte, réaliser une rosace en intercalant les lamelles de tomates et les lamelles de pecorino.

03/ **coulis de tomates Green Zebra**
Mixer le jus de tomate avec le xanthane, ajouter le balsamique blanc, saler et garder au frais.

04/ **finition et dressage**
Au moment de servir, réchauffer les filets de saint-pierre dans la marinade, au four à 160 °C pendant 2 minutes. Les égoutter sur un papier absorbant. Passer la tarte au four 2 minutes. Disposer la tarte de tomate chaude au centre d'une assiette demi-creuse. Poser ensuite les filets de saint-pierre chauds et finir par quelques gouttes de coulis de Green Zebra. Parsemer de feuilles de thym et de fleur de sel.

joue de bœuf confite relevée de vinaigre de tomate, rigatoni en bolognaise gratinée

**viandes
4 personnes**

01/ 1 kg de joue de bœuf
1 l de vin rouge
de Lorgues en Provence
1 botte de romarin
10 cl de vinaigre de tomate
1 branche de fenouil sec
2 tomates Noire de Crimée
Sel fin
Poivre blanc de Sarawak

02/ 4 rigatoni
400 g de champignons de Paris
1 échalote
10 cl de vin blanc
1/2 oignon blanc
1 gousse d'ail
1 carotte
1 branche de céleri
1/4 de bulbe de fenouil
1/8 de céleri boule
1 branche de blette
400 g de bœuf haché
15 cl de crème fraîche
250 g de tomates pelées en boîte
1 feuille de laurier
1 branche de thym
de Saint-Julien-le-Montagnier
10 g de parmesan râpé
Huile d'olive
Sel

03/ 4 petites tomates
Cerfeuil

01/ **joue de bœuf confite (à préparer 3 jours avant)**
Dégraisser les joues de bœuf, faire bouillir le vin rouge et le flamber. Faire mariner les joues 12 heures dans le vin rouge au frais puis les placer dans des sacs cuisson sous vide avec le jus de marinade, une branche de fenouil, une tomate concassée, le romarin et le vinaigre de tomate. Cuire sous vide 48 heures à 68 °C, puis laisser refroidir. Récupérer le jus de cuisson et portionner les joues en tranches de 120 g dans la largeur. Réserver 10 cl de jus de cuisson pour la farce des rigatoni. Faire réduire le reste du jus de cuisson avec une tomate concassée. Arrivé à consistance liée, passer le jus au chinois étamine, goûter et rectifier l'assaisonnement.

02/ **rigatoni en bolognaise**
Cuire les rigatoni dans une eau bouillante salée, mais les garder bien fermes. Les refroidir ensuite dans un bain d'eau glacée. Laver et tailler les champignons en petite brunoise. Ciseler l'échalote, la faire suer à l'huile d'olive sans coloration, saler puis ajouter les champignons. Cuire jusqu'à l'évaporation totale de l'eau de végétation, ajouter le vin blanc, réduire à sec. Ajouter 5 cl de crème, réduire de moitié, réserver au frais. Ciseler l'oignon, tailler en fine brunoise la carotte, le fenouil, la branche de céleri, le céleri boule, l'ail, le blanc et le vert de blette. Faire suer le tout à l'huile d'olive sans coloration, saler puis ajouter le bœuf haché. Cuire 4 minutes, ajouter les 10 cl de jus de cuisson réservés, faire réduire puis ajouter la tomate pelée, la feuille de laurier et le thym. Cuire à feu doux 25 minutes, refroidir et mélanger à la duxelles de champignons, goûter et rectifier l'assaisonnement si besoin. Farcir les rigatoni. Mélanger 10 cl de crème avec le parmesan et faire réduire afin d'obtenir une consistance épaisse.

03/ **finition et dressage**
Faire une incision en croix au bas de chaque tomate puis les faire frire afin que la peau remonte et devienne croquante. Saler. Chauffer la joue au four à 60 °C dans son jus. En disposer une tranche sur l'assiette et napper le dessus de la joue avec le jus. Placer les rigatoni dans une assiette, filmer et chauffer au micro-ondes 10 secondes. Les disposer à côté de la joue et les napper de crème de parmesan. Ajouter une tomate et quelques pluches de cerfeuil. Dessiner un trait en forme de larme avec le jus.

tomate grappe en pomme d'amour farcie
de riz au lait citronné, fraises piquantes

desserts
4 personnes

01/ 4 tomates grappe
500 g de sucre
2 g d'hibiscus
Colorant rouge carmin

02/ 125 g d'eau
125 g de sucre
70 g de trimoline
120 g de yaourt nature
8 g d'huile d'olive Château Virant

03/ 100 g de pulpe de pomme
granny-smith
25 g de glucose
20 g de crème de balsamique

04/ 1/2 baguette
100 g de sirop (eau + sucre)

01/ **tomate grappe**
Dans une casserole, chauffer de l'eau, monder les tomates puis les mettre dans de la glace. Faire bouillir 3 litres l'eau avec le sucre, l'hibiscus et le colorant, cuire les tomates sans peau, les évider puis les passer au Gastrovac 5 minutes à 45 °C. Égoutter les tomates et les garder au frais. Réserver les queues des tomates pour le décor.

02/ **sorbet à l'huile d'olive**
Réaliser le sirop : faire bouillir l'eau, le sucre et la trimoline. Laisser refroidir. Mélanger au fouet le sirop, le yaourt et l'huile d'olive, mixer et maturer avant de turbiner.

03/ **jus de pomme granny au balsamique blanc**
Dans une casserole, faire bouillir la pulpe de pomme et le glucose, passer au chinois étamine puis ajouter le balsamique. Faire réduire à consistance sirupeuse. Réserver au frais.

04/ **croustillant de pain**
Trancher la demi-baguette dans sa longueur à la machine à jambon épaisseur 2,5 mm. Poser les tranches sur une feuille Silpat légèrement graissée puis pulvériser de sirop. Cuire au four à 150 °C jusqu'à coloration.

05/ 125 g de riz rond Arborio
600 g de lait entier
2 zestes de citron jaune
1 g de fleur de sel
30 g de sucre semoule
1 gousse de vanille
200 g de crème fouettée

06/ 125 g de fraises
1/2 brin de coriandre
1/2 tour de poivre du moulin

07/ Du coulis de fruits rouges
Du coulis de framboises
De l'huile d'olive
De la poudre de tomate

05/ **riz au lait citronné**
Blanchir le riz dans de l'eau, l'égoutter et le rincer. Dans une casserole, verser le lait, le sucre, la fleur de sel, les zestes râpés et les graines de vanille. Verser le riz. Cuire à frémissement pendant 20 minutes. Réserver au réfrigérateur. Avant de servir, monter la crème et l'additionner au riz froid.

06/ **tartare de fraise**
Couper les fraises en cubes et ciseler la coriandre. Les mélanger et ajouter un tour de poivre du moulin.

07/ **finition et dressage**
Dans une assiette, réaliser huit points de coulis de framboises et huit points de jus de pomme granny. Lustrer la tomate cuite au coulis de fruits rouges, la farcir de riz au lait et de tartare de fraise, la placer au centre de l'assiette et ajouter la queue de tomate réservée dessus. Disposer une quenelle de sorbet, parsemer de quelques gouttes d'huile d'olive et de poudre de tomate, puis ajouter une tranche de croustillant de pain.

la tomate
août

**tomate grappe
en pomme d'amour
farcie de riz au lait
citronné,
fraises piquantes**

septembre

le cèpe

Promenons-nous dans les bois

L'été fut si ensoleillé qu'on en avait oublié les délices de l'arrière-saison qui se profile. Et voici que réapparaît sur les étals ce champignon charnu au drôle de chapeau et au pied trapu. Avec lui ressurgissent des parfums de terre humide, de sous-bois d'automne spongieux qu'on foule avec précaution, des écharpes de brume s'élevant jusqu'à la canopée, toute la nostalgie d'une nature qui brille de ses derniers feux avant de s'acheminer doucement vers le sommeil de l'hiver.

Si celui qu'on appelle encore « gros pied » n'est réputé en gastronomie française que depuis le XIXᵉ siècle, sa variété la plus répandue, très prisée à l'étranger, le cèpe de Bordeaux, a rapidement fait les beaux jours du port de la capitale de l'Aquitaine.

Le plus recherché de ces bolets comestibles des régions tempérées, pour son parfum et son goût, est pourtant le « tête-de-nègre », une espèce méditerranéenne qui pousse principalement au pied des chênes verts, hêtres et châtaigniers. Par ses racines, leur hôte échange avec eux nourriture, eau et sels minéraux jusqu'à la fructification de l'été. Au début de l'automne, il pousse en quelques jours dans les bois aérés ou en lisière, dans les taillis et accotements de routes. Ce cabotin arbore un couvre-chef hémisphérique puis convexe, d'un diamètre de 6 à 20 centimètres, à la surface plus ou moins bosselée et à marge lisse et régulière, dont les teintes s'étagent d'un châtain foncé à reflets bronzés à un brun ocre. En dessous, ses lames s'étirent en tubes fins de couleur blanchâtre qui virent au crème

avec le temps, et son pied renflé à la base tire du chamois au miel, strié d'un réseau blanc. On le piste facilement à son exhalaison plus forte que celle de ses congénères, vaguement oléagineuse.

Les consommateurs apprécient d'autant plus ce produit noble qu'il est réputé constituer une excellente source d'énergie, grâce au fer et au phosphore qu'il recèle, aux protéines dont il est pourvu – chose rare pour un légume frais –, ainsi qu'aux vitamines D, E et K dont il regorge et qui renforcent le squelette, protègent des radicaux libres et favorisent la circulation sanguine.

Denis Fétisson l'a d'abord découvert dans les forêts de Norvège où il se promenait pendant les rares congés que lui permettait son premier poste de chef. Mais c'est à Paris, alors qu'il était jeune chef du *Daniel*, qu'il a réellement appris à l'apprécier. À la sortie des boîtes de nuit du 17e arrondissement, il ne dédaignait pas prêter main-forte aux producteurs qui installaient à l'aube leurs étals sur le marché Poncelet. L'un d'eux, Victor, un maraîcher qui proposait les spécimens les plus précieux, lui a fait découvrir les chambres froides de Rungis, le garde-manger de l'Europe dont il conserve le souvenir émerveillé d'une « caverne d'Ali Baba pour gastronomes ». Cette amitié a nourri son profond respect pour les merveilles du terroir et la ferveur qui anime les producteurs. Sa cuisine leur rend hommage, lui l'héritier d'une longue lignée de passionnés qui cherche à magnifier le travail de ses prédécesseurs.

Au marché, le chef jette son dévolu sur les sujets propres, sans taches, mais surtout les plus fermes. Un chapeau bien soudé au pied et plus clair est un gage de fraîcheur : le cèpe se révélera plus croquant. Denis lui fera d'abord rendre son eau de végétation, à feu doux dans une noisette de beurre, prenant son temps, avant de le préparer avec délicatesse. Parmi les champignons des bois les plus fins, gratifiant à travailler, le cèpe se distingue des autres bolets par sa chair très ferme qui reste blanche et dégage son arôme avec intensité à la cuisson. Sublimant les préparations à base d'œufs, garnissant viande ou poisson en poêlée forestière relevée de persillade, utilisé dans de nombreuses sauces d'accompagnement, nappé de crème, farci aux échalotes, incorporé à une tarte, grillé à l'huile de noix, préparé en velouté ou incorporé séché au risotto, il se prête à toutes les déclinaisons, toujours apprécié des connaisseurs. Denis le met à l'honneur en le traquant au plus profond de ses arômes.

Sauté en petite brunoise caramélisée avec des épinards, arrosé en jus réduit à la crème et râpé de noix de muscade, il sublime un pain de campagne croustillant Melba servi en béchamel tiède avec sa délicate saveur de noisette.

Servi en belles tranches grillées, et finement mixé avec du basilic frais, de la coriandre et une émulsion parmesan sur une pâte à raviole, il marie magnifiquement le soyeux de son suc à l'amertume de la farce d'épinard, blette et roquette à l'ail.

En cubes soyeux combinés avec des figues et arrosés d'un jus de veau, il sait relever d'un succulent fondant une tranche de morue snackée à la peau croustillante, recouverte d'une tranche de lard parsemée de noisette fraîche râpée.

Ou alors, accompagné d'un velouté écumé d'une poignée de ses compagnons séchés, il va réconforter de son croquant une poitrine de veau juteuse en papillote, farcie de blettes, pignons de pin, tomates confites et anchois au sel.

Pascal Giry l'accommode au final en s'amusant à reconstituer la forme du champignon. Sur une coque de meringue simulant le pied, creusée d'un crémeux au caramel, il dépose, en guise de chapeau, un parfait glacé au chocolat au lait moulé en demi-sphère, accompagné d'une cristalline de cèpe. En apogée de ce menu thématique, sa saveur acidulée, presque fruitée, d'une prodigieuse longueur en bouche, marquera longtemps les convives. |

pain Melba croustillant, béchamel de cèpes aux épinards muscadés, coulis de bolet

entrées
4 personnes

01/ 1 pain de campagne
80 g de beurre
1 gousse d'ail

02/ 25 cl d'eau tiède
100 g de cèpes séchés
10 g de Maïzena
2 g de noix de muscade
50 cl de crème liquide
10 g de beurre
Sel et poivre de Sarawak

03/ 500 g d'épinards branche
1 gousse d'ail
2 cl d'huile d'olive Château Virant
Sel et poivre de Sarawak

01/ **pain Melba**
Placer le pain de campagne au congélateur. Une fois durci, couper huit tranches de 5 mm d'épaisseur à l'aide d'une machine à jambon. Pour le beurre clarifié : mettre le beurre dans un bac en plastique puis le passer au micro-ondes puissance maximale afin de le faire fondre et de séparer le beurre du petit-lait. Récupérer le beurre clarifié qui est en surface. Badigeonner les tranches de pain de beurre clarifié à l'aide d'un pinceau. Les placer ensuite sur une plaque, les recouvrir d'un papier cuisson et poser une autre plaque par-dessus. Cuire au four à 170 °C pendant 20 minutes (la coloration doit être bien foncée). Avant le dressage, frotter le pain avec une gousse d'ail.

02/ **béchamel de cèpes**
Faire tremper les cèpes séchés dans l'eau tiède pendant 15 minutes. Récupérer ensuite l'eau et la filtrer à travers un torchon. Laver les cèpes à l'eau tiède encore deux fois puis les ajouter à la première eau. Ajouter la crème liquide et faire infuser sur feu doux 10 minutes. Ajouter ensuite la muscade râpée, saler et verser la Maïzena délayée dans un peu d'eau de cèpes. Faire bouillir 2 minutes puis lier au beurre et rectifier l'assaisonnement si besoin. Garder au frais.

03/ **épinards muscadés**
Laver deux fois les épinards à l'eau froide puis les égoutter dans une passoire. Dans une grosse marmite, faire chauffer l'huile d'olive puis ajouter une gousse d'ail coupée en deux. Saler le fond de la marmite afin de fixer les saveurs de l'ail dans l'huile d'olive. Ensuite, ajouter les épinards dans l'huile très chaude, saler et cuire 1 minute en remuant sans arrêt. Égoutter dans une passoire, laisser refroidir puis presser les épinards afin de retirer l'eau de végétation.

04/ **coulis de bolet**

Faire tremper les cèpes séchés dans l'eau tiède pendant 15 minutes. Retirer les cèpes et filtrer l'eau à travers un torchon. Laver encore deux fois les cèpes puis les hacher finement. Les faire sauter au beurre, saler et poivrer puis ajouter l'armagnac. Flamber, ajouter l'eau de cèpe puis faire réduire à sec. Ajouter ensuite la crème liquide et cuire 10 minutes à feu doux. Mixer finement puis passer dans un chinois fin. Ajouter le jus de citron jaune, rectifier l'assaisonnement et garder à 50 °C au bain-marie.

05/ **finition et dressage**

À l'aide d'une petite brosse, nettoyer les cèpes frais. Séparer le pied de la tête puis couper les têtes en petite brunoise. Réserver les pieds de cèpes. Faire sauter les têtes de cèpes au beurre noisette, saler, poivrer, puis les égoutter dans une passoire. Faire chauffer la béchamel puis ajouter les épinards. Bien mélanger et ajouter les cèpes sautés. Mélanger, rectifier l'assaisonnement puis, à l'aide d'un emporte-pièce, disposer dans l'assiette un rectangle de béchamel d'épinard et cèpes, poser sur le dessus, un peu en décalé, une tranche de pain Melba et recommencer l'opération. Disposer à côté du montage le coulis de bolet en petits points. Laver et éplucher le cœur de céleri branche, le tailler finement dans la largeur et le poser sur les points de coulis de bolet afin d'apporter du croquant et de la fraîcheur. Trancher finement les pieds de cèpes frais réservés et les disposer sur le toast Melba. Ajouter un filet d'huile d'olive et la fleur de sel de Camargue.

04/ 100 g de cèpes séchés
2 cl d'armagnac
50 cl de crème fraîche liquide
1/2 jus de citron jaune bio
20 g de beurre
Sel et poivre de Sarawak

05/ 4 gros cèpes frais
1 cœur de céleri branche
2 g de fleur de sel de Camargue
50 g de beurre noisette
Sel et poivre de Sarawak

**pain Melba
croustillant,
béchamel de cèpes
aux épinards
muscadés,
coulis de bolet**

fines ravioles, cèpes bouchons sur le gril, fondue de blette à la coriandre, crème légère au vieux parmesan

pâtes
4 personnes

01/ **pâte à raviole**
500 g de farine type 00
5 œufs
5 cl d'huile d'olive Château Virant
5 g de sel fin

farce de blette
500 g de vert de blettes
80 g de parmesan en poudre
200 g d'épinards branche
50 g de roquette sauvage
150 g de cèpes séchés
30 g de beurre
1 gousse d'ail
130 g de basilic
10 g de coriandre fraîche
10 g de graines de coriandre
5 g de poivre de Sarawak
4 g de sel fin

02/ 1 l de lait entier
37,5 cl de crème fraîche liquide
250 g de parmesan Grana

03/ 2 cèpes bouchons, petits et fermes
Huile d'olive
Fleur de sel

01/ **fines ravioles**
pâte à raviole / Dans la cuve d'un batteur, mélanger la farine, les œufs, l'huile d'olive et le sel. Mettre ensuite la pâte sous vide afin de bien la serrer et pouvoir la travailler plus facilement.
farce de blette / Laver le vert de blettes et les épinards, les faire sauter au beurre avec une gousse d'ail écrasée, saler, poivrer. Laisser refroidir. Faire tremper les cèpes séchés dans de l'eau tiède pendant 10 minutes puis les égoutter. Renouveler l'opération deux fois. Ensuite, les hacher finement et les faire sauter au beurre jusqu'à forte coloration, saler et poivrer. Laisser refroidir. Dans un mixer robot coupe, mixer les blettes et les épinards avec les cèpes pendant 4 minutes. Ajouter ensuite le basilic, la roquette sauvage, la coriandre fraîche et les graines de coriandre concassées, puis le parmesan. Mixer 15 minutes pour que le mélange soit bien lisse. Goûter et rectifier l'assaisonnement.
réalisation des fines ravioles / Étaler la pâte le plus fin possible et la couper en deux grands rectangles. Disposer la farce de blette en petits tas sur une des deux pâtes, recouvrir de la seconde pâte et les souder à l'aide d'un emporte-pièce de 5 cm de diamètre sans les couper. Découper la pâte à l'aide d'un emporte-pièce cannelé de 6 cm de diamètre pour former les ravioles et réserver au frais.

02/ **émulsion parmesan**
Dans un sautoir, râper le parmesan Grana puis le faire colorer. Ajouter la crème et le lait et laisser infuser 10 minutes à feu très doux. Passer au chinois fin puis garder à température ambiante.

03/ **finition et dressage**
Cuire les ravioles 4 minutes dans une eau salée à 90 °C, les égoutter puis les passer dans un bol contenant de l'huile d'olive. Les disposer ensuite dans l'assiette, ajouter la fleur de sel. Trancher les cèpes bouchons en lamelles épaisses puis les passer sur le gril. Les disposer ensuite au milieu des ravioles. À l'aide d'un mixer plongeant, émulsionner la crème de parmesan et servir l'écume formée au-dessus.

morue épaisse à la plancha, sauté de cèpes aux figues et romarin, jus adouci à la noisette râpée

**poissons
4 personnes**

01/ 400 g de morue salée
     2 feuilles de laurier

02/ 1 kg de tendrons de veau
     2 carottes
     1 oignon blanc
     2 gousses d'ail
     2 branches de thym
     1 branche de céleri
     2 l d'eau
     2 cl d'huile de noix
     80 g de beurre
     10 cl d'huile d'olive

03/ 150 g de cèpes frais
     2 figues fraîches
     1 branche de romarin
     Huile d'olive
     Sel, poivre

04/ 4 tranches fines
     de lardo di pancetta
     4 noisettes fraîches

01/ **morue salée (à préparer 2 jours avant)**
Couper la morue en cubes de 90 g puis les mettre à dessaler
48 heures dans un bac sous un filet d'eau froide. Faire ensuite cuire les
cubes de morue dans 2 litres d'eau avec les feuilles de laurier pendant
7 minutes à 80 °C. Garder en étuve puis, au moment de l'envoi, faire
snacker côté peau à feu vif pour obtenir une peau croustillante.

02/ **jus de veau**
Dans une marmite, faire bien colorer les tendrons de veau à l'huile
d'olive de chaque côté, puis les retirer de la marmite. Laver et couper
les légumes (carottes, oignon, céleri) en grosse brunoise, couper les
gousses d'ail en deux, et faire suer dans la même marmite jusqu'à
coloration. Ajouter alors les tendrons coupés en gros morceaux, le
thym et le beurre. Faire colorer le tout 10 minutes en remuant bien,
ajouter 50 cl d'eau puis faire réduire à sec. Verser ensuite le restant
d'eau (qui doit arriver à hauteur des tendrons) puis faire bouillir en
écumant (retirer toutes les impuretés qui remontent à la surface).
Laisser cuire 4 heures à feu très doux. Passer ensuite le jus au chinois
fin et le placer au froid, puis retirer la graisse figée sur le dessus. Le
faire ensuite chauffer et réduire jusqu'à consistance liée et ajouter
l'huile de noix pour faire trancher le jus.

03/ **sauté de cèpes aux figues**
Laver les cèpes et les figues à l'aide d'une brosse sous un filet d'eau
froide puis les couper en petite brunoise. Effeuiller et tailler finement
le romarin. Dans une poêle très chaude, faire sauter les cèpes à l'huile
d'olive, saler et poivrer. Une fois les cèpes bien colorés, ajouter
les figues et le romarin. Cuire 1 minute puis débarrasser dans
une passoire.

04/ **finition et dressage**
Disposer la morue au milieu de l'assiette, verser le jus de veau
autour. Dresser le sauté de cèpes et de figues dans un cadre inox
rectangulaire puis ajouter la tranche de lardo di pancetta par-dessus.
À l'aide d'une Microplane, râper une noisette fraîche par personne sur
le sauté de cèpes.

poitrine de veau confite en duxelles, royale de foie de canard et cèpe étuvé en papillote

viandes
4 personnes

01/ 1 poitrine de veau
20 g de sel fin
500 g de crépine
Poivre
farce
215 g de blanc de blettes
400 g de vert de blettes
50 g d'oignon blanc
25 g d'anchois
40 g de pignons de pin
40 g de tomate confite
10 g de parmesan râpé
2 feuilles de sauge
5 g d'olives taggiasche
Sel et poivre

02/ 10 cl de crème fraîche liquide
100 g de cèpes séchés
4 cl d'armagnac
50 g de foie gras mi-cuit
1 échalote
2 jaunes d'œufs
2 œufs entiers
20 cl d'huile d'olive
Sel et poivre de Sarawak

03/ 4 têtes de cèpes entières
4 branches de thym
2 gousses d'ail
Sel et poivre

01/ **poitrine de veau et farce**
Retirer le surplus de gras de la poitrine, l'aplanir puis saler et poivrer. La poser ensuite sur la crépine étalée. Laver les blettes, éplucher et tailler le blanc en fine brunoise, émincer le vert. Ciseler finement l'oignon blanc, torréfier les pignons de pin, hacher finement l'anchois et la tomate confite ainsi que les olives et la sauge. Faire suer l'oignon sans coloration à l'huile d'olive, ajouter les anchois, le blanc de blettes et cuire 5 minutes à feu doux. Ajouter le vert de blettes et cuire 4 minutes à feu doux. Ajouter les tomates confites, les olives, la sauge, les pignons de pin et le parmesan râpé, saler et poivrer. Étaler la farce sur toute la poitrine et la rouler avec la crépine à l'aide de papier film. Bien la serrer, ficeler chaque extrémité et cuire au four vapeur 4 heures à 56 °C puis laisser refroidir.

02/ **royale de foie de canard**
Réhydrater les cèpes séchés dans 25 cl d'eau tiède pendant 15 minutes. Récupérer l'eau et la filtrer à travers un torchon. Laver encore deux fois les cèpes. Émincer l'échalote, la faire suer à l'huile d'olive, saler puis ajouter les cèpes et l'eau de cèpes filtrée. Faire réduire à sec, déglacer à l'armagnac, flamber puis ajouter la crème. Cuire à feu doux 5 minutes puis laisser refroidir. Ajouter alors les œufs et le foie de canard, mixer, saler et poivrer puis passer au chinois fin. Répartir dans quatre petits moules cylindriques beurrés et cuire au four vapeur à 85 °C pendant 18 minutes. Démouler à chaud.

03/ **cèpes en papillote**
Laver les têtes de cèpes puis poser chacun d'elles sur une feuille de papier d'aluminium. Saler et poivrer, ajouter une branche de thym et une demi-gousse d'ail. Refermer la papillote et cuire au four sec à 210 °C pendant 7 minutes.

04/ **200 g de pieds de cèpes frais**
20 g de cèpes séchés
25 cl de bouillon de volaille
1 l de lait demi-écrémé
5 g de poudre de lait
15 cl de crème fraîche liquide
1/2 gousse d'ail
Sel, poivre

05/ 10 g de beurre
Feuilles de roquette
Fleur de sel

04/ **sauce aux cèpes**

Faire tremper les cèpes séchés dans de l'eau tiède pendant 10 minutes. Filtrer l'eau à travers un torchon et la réserver. Laver encore deux fois les cèpes. Faire suer au beurre les pieds de cèpes frais, ajouter les cèpes réhydratés et la demi-gousse d'ail puis cuire 2 minutes à feu doux. Ajouter ensuite l'eau de cèpes filtrée, faire réduire à sec, ajouter le lait, la crème et le bouillon de volaille. Mixer et faire réduire 5 minutes. Ajouter la poudre de lait, mixer le tout au blinder, rectifier l'assaisonnement, émulsionner avant l'envoi.

05/ **finition et dressage**

Couper la poitrine en rondelles de 5 cm d'épaisseur, la poêler au beurre et bien l'arroser. Chauffer la royale au four vapeur à 80 °C pendant 4 minutes. Sortir les têtes de cèpes de leur papillote, les passer sous la salamandre 1 minute puis déposer une tête de cèpe sur chaque royale. Émulsionner la sauce aux cèpes. Dresser sur assiette et déposer quelques feuilles de roquette juste passées à l'huile d'olive et fleur de sel.

**poitrine de veau
confite en duxelles,
royale de foie
de canard et cèpe
étuvé en papillote**

coque de meringue, caramel crémeux, parfait glacé en cristalline de cèpe, gelée de myrtilles

**desserts
4 personnes**

01/ 70 g de chocolat au lait
30 g de beurre de cacao

02/ 12 g de blancs d'œufs
20 g de sucre
35 g de chocolat au lait
50 g de crème
à 35 % de matière grasse
1 g d'arôme de cèpe

03/ 45 g de fondant blanc
30 g de glucose
1 g de poudre de cèpe séché
Quelques noisettes

04/ 100 g de blancs d'œufs
100 g de sucre semoule
70 g de sucre glace

01/ **chocolat velours**
Dans un cul de poule, chauffer au bain-marie le chocolat avec le beurre de cacao. Réserver à l'étuve.

02/ **parfait glacé au chocolat au lait**
Faire chauffer au bain-marie les blancs d'œufs avec le sucre à une température de 50 °C puis refroidir au batteur. Faire fondre le chocolat au lait à 45 °C et monter la crème. Réaliser une mousse légère avec les blancs sucrés, le chocolat fondu et la crème montée puis ajouter l'arôme. Verser dans des moules en demi-sphère. Mettre au congélateur avant de démouler. Pulvériser à l'aide d'un aérographe du chocolat velours sur les dômes glacés.

03/ **cristalline de cèpe**
Dans une casserole, cuire le fondant avec le glucose à 150 °C. Refroidir sur Silpat, mixer avec la poudre de cèpe séché, et saupoudrer avec une passette le pochoir en forme de cèpe. Passer au four à 180 °C pour faire fondre le sucre, puis coller les tuiles sur une noisette deux par deux. Stocker à l'abri de l'humidité.

04/ **meringue croustillante**
Dans une cuve de batteur, monter les blancs en ajoutant progressivement le sucre semoule. Ajouter le sucre glace à la spatule. À l'aide d'une poche à douille, remplir des moules Silpat en forme de pied de cèpe, cuire au four à 100 °C pendant 1 heure puis à 70 °C pendant 5 heures.

05/ 127,5 g de sucre semoule
220 g de crème fleurette
18 g de glucose
1/2 gousse de vanille
55 g de jaunes d'œufs
3,6 g de gélatine

06/ 250 g de myrtilles
50 g de sucre
1/4 de jus de citron
5 g de pectine jaune

05/ **crémeux caramel**
Dans une casserole, réaliser un caramel en cuisant le sucre à sec puis décuire avec le glucose, la crème et la vanille. Ajouter les jaunes d'œufs et cuire à une température de 83 °C. Ajouter les feuilles de gélatine pour finir. Refroidir avant utilisation.

06/ **gelée de myrtilles**
Dans une casserole, faire bouillir les myrtilles avec les deux tiers du sucre. Mixer et passer au chinois. Ajouter la pectine mélangée au sucre restant puis le jus de citron. Cuire 5 minutes puis réserver au froid.

07/ **finition et dressage**
Réaliser au centre de l'assiette un rond de gelée de myrtilles, poser dessus, au milieu, la meringue en forme de pied fourrée de crémeux au caramel, puis la coiffer du dôme glacé. À côté, disposer deux cristallines en forme de cèpe.

le cèpe
septembre

**coque de meringue,
caramel crémeux,
parfait glacé en
cristalline de cèpe,
gelée de myrtilles**

octobre

la Saint-Jacques d'Erquy

Une demoiselle raffinée

Elle a fière allure lorsque sa coquille en éventail, en camaïeu de
tons allant du rouge vif au rose pâle, s'entrouvre, révélant une noix
immaculée délicatement ourlée de corail ! Il faut dire que, non contente
d'être consommée depuis des centaines de millions d'années pour
ses vertus gustatives, elle a su s'imposer dans l'histoire de l'humanité
en tant qu'ornement, monnaie d'échange ou symbole religieux.
Remède ou amulette pour conjurer le mauvais sort chez les peuples
premiers, elle est devenue symbole de fécondité en Grèce, aux Indes et
en Chine, de résurrection et de piété chez les Chrétiens.
Et elle a inspiré les artistes, peintres, sculpteurs, architectes, bijoutiers
ou ébénistes jusqu'à nos jours.

Ce mollusque au galbe charnu est apprécié pour son goût corsé, la
subtilité de sa noix et la tendresse de son corail iodé à souhait.
À l'état sauvage, elle peut vivre une vingtaine d'années en Atlantique
Nord et en Méditerranée et se reproduit en milieu tempéré, d'avril à
septembre. Sa pêche en gisements naturels est désormais strictement
réglementée d'octobre à la mi-mai pour garantir ses saveurs, certifier
son appellation et reconstituer sa population. Fraîche, naturelle et fine,
elle est également plébiscitée pour ses vertus diététiques. Festive, elle
apporte à la table une indéniable touche d'élégance.

C'est en mer du Nord que Denis Fétisson a eu le coup de foudre pour
la demoiselle. Le capitaine d'un bateau norvégien l'a fait plonger en
scaphandre dans une eau noire et glacée où il a découvert ce trésor

vivant qui illuminait les fonds austères. Revenu sur le pont, il a croqué dans sa chair ferme et se souvient encore aujourd'hui du parfum puissant qui lui a sauté aux narines.

Cette aristocrate ne se laisse pas apprivoiser facilement. Pas question avec elle de se complaire dans la routine, de vivoter sur ses acquis. Elle exige de l'inventivité, veut qu'on lui sorte le grand jeu et, alors seulement, elle daignera révéler ses charmes. Mais le chef est un séducteur, il sait trouver les arguments pour conquérir la dame de son cœur. Pour restituer sa sensualité sauvage, il la fait cuire doucement à la fleur de sel, au piment d'Espelette et à l'huile d'olive et lui conserve ainsi sa robe translucide. S'il veut flatter le subtil goût de noisette qu'elle laisse en bouche, il préférera une cuisson unilatérale à la plancha, avant de la faire rôtir au beurre demi-sel. En revanche, magnifier le croquant de sa chair le pousse à la faire mariner dans la cannelle, le gingembre et la cardamome verte avant de l'adoucir d'un zeste d'orange.

Cependant, la placer en dessert dans le menu du « produit à l'honneur », c'était oser l'effraction. L'acidité du citron exhausse magnifiquement l'arôme des fruits de mer. Un mariage de raison s'impose. Une déclinaison de sorbet au citron vert se chargera d'en relever la délicatesse sans trahir son goût corsé. |

la Saint-Jacques d'Erquy
octobre

saint-jacques cuites à la fleur de sel, poireaux crayons en gelée de cresson, jus tiède perlé à la mandarine

entrées
4 personnes

01/ 10 poireaux crayons
4 bottes de cresson
2 bottes d'épinard
22 feuilles de gélatine

02/ 8 noix de Saint-Jacques d'Erquy
5 cl d'huile d'olive
Fleur de sel
Piment d'Espelette

03/ 25 g de moutarde à l'ancienne
30 cl d'huile de noix
10 cl de vinaigre d'Estornell
10 cl de jus de veau
2 mandarines (zeste et jus)
Sel, poivre

04/ 5 cl d'huile de mandarine
20 g de truffes de Bourgogne en dés
1 mandarine

01/ **terrine de poireaux**
Cuire les poireaux crayons à l'anglaise dans une eau bien salée, refroidir dans de l'eau glacée puis égoutter et presser délicatement. Dans la même eau de cuisson, cuire le cresson et les épinards, puis les mixer avec 1 litre d'eau de cuisson, ajouter les feuilles de gélatine ramollies, faire fondre et passer le mélange au chinois étamine. Couler la gelée dans un cadre sur 1 cm d'épaisseur, filmer et laisser prendre. Disposer ensuite sur la gelée les poireaux bien épongés entre deux torchons, recouvrir de gelée et laisser prendre au froid.

02/ **cuisson des Saint-Jacques**
Couper les noix de Saint-Jacques à 1 cm d'épaisseur, les cuire doucement sous la salamandre avec la fleur de sel, le piment d'Espelette et l'huile d'olive jusqu'à ce qu'elles soient translucides.

03/ **vinaigrette**
Faire fondre dans le vinaigre d'Estornell le sel fin et le poivre, ajouter la moutarde à l'ancienne, le jus de veau tiède, les zestes râpés et le jus des mandarines, puis verser l'huile de noix. Mélanger le tout pour obtenir une vinaigrette tranchée. Réserver.

04/ **finition et dressage**
Dans une assiette plate, dresser la terrine de poireaux sur la gauche. Sur le côté droit, disposer en quinconce les Saint-Jacques. Parsemer l'assiette de points de vinaigrette et poser un dé de truffe au centre de chacun d'eux. Lustrer la terrine à l'huile de mandarine et râper dessus le zeste de mandarine.

onctueuses ravioles de potimarron, saint-jacques marinées aux épices douces

pâtes
4 personnes

01/ **pâte à raviole**
500 g de farine type 00
5 œufs
5 cl d'huile d'olive Château Virant
5 g de sel fin
farce
200 g de noix de Saint-Jacques
250 g de potimarron
1 g de cannelle
1 g de gingembre en poudre
1 g de cardamome verte
1 g de curry
1 orange
Beurre
Sel, poivre

02/ 4 têtes de homards
75 g d'oignons
75 g de carottes
10 g d'ail
15 g de concentré de tomates
2,5 cl de cognac
50 cl de fumet de poisson
1/4 de botte d'estragon
1 badiane
1 branche de thym
30 cl de lait entier
10 cl de crème liquide
50 g de beurre
Piment d'Espelette

03/ 100 g de radis green meat
5 cl d'huile d'olive
Fleur de sel de Camargue

01/ **raviole de potimarron**
pâte à raviole / Dans la cuve d'un batteur, mélanger la farine, les œufs, l'huile d'olive et le sel. Placer ensuite sous vide afin de bien serrer la pâte et pouvoir la travailler plus facilement.
farce / Laver à l'eau froide les Saint-Jacques, les couper en quatre, les faire mariner avec les différentes épices, le zeste de l'orange et assaisonner. Couper le potimarron en morceaux sans l'éplucher, le cuire à l'anglaise puis égoutter. Le mixer finement avec une noix de beurre, assaisonner puis refroidir. Ajouter ensuite les Saint-Jacques marinées à la purée de potimarron froide et bien mélanger. Réserver au frais.
réalisation des ravioles / Étaler la pâte le plus fin possible et la couper en deux grands rectangles. Disposer la farce en petits tas sur une des deux pâtes, recouvrir de la seconde pâte et les souder à l'aide d'un emporte-pièce de 5 cm de diamètre sans les couper. Découper la pâte à l'aide d'un emporte-pièce cannelé de 6 cm de diamètre pour former les ravioles et réserver au frais.

02/ **sauce homard**
Décortiquer les têtes de homards, les couper en morceaux puis les colorer sur une plaque au four. Dans un sautoir, faire revenir au beurre la garniture aromatique (oignons, carottes, ail) taillée en mirepoix, ajouter les têtes de homards colorées (déglacer à l'eau la plaque du four et garder les sucs), le concentré de tomates et bien remuer. Flamber au cognac, ajouter le thym, réduire et mouiller au fumet de poisson et au jus de déglaçage, porter à ébullition et écumer. Laisser cuire à frémissement pendant 30 minutes avec la badiane et l'estragon. Passer ensuite au chinois étamine, réduire à glace puis verser le lait et la crème. Émulsionner le tout à l'aide d'un mixer plongeant et rectifier l'assaisonnement avec le piment d'Espelette et le sel.

03/ **finition et dressage**
Cuire les ravioles 4 minutes dans une eau salée à 90 °C. Les égoutter puis les passer dans un bol contenant de l'huile d'olive, ajouter la fleur de sel puis disposer dans l'assiette. Tailler le green meat en fines bandes, le passer à la dernière minute à l'huile d'olive salée à la fleur de sel. Disposer quelques lamelles de green meat autour des ravioles et verser l'émulsion de homard.

saint-jacques rôties au beurre demi-sel, palets de pomme de terre confits au fenouil sec

**poissons
4 personnes**

01/ 8 noix de Saint-Jacques d'Erquy
50 g de beurre demi-sel

02/ **citron confit :**
3 citrons de Menton
1 l d'eau
250 g de sucre
5 cl d'huile d'olive
Gros sel

175 g de citron confit
12,5 cl de fumet de poisson
32,5 cl de lait entier
12,5 cl de crème liquide
15 cl de sirop de cuisson
des citrons

03/ 300 g de pommes de terre
1 l d'huile d'olive
100 g de fenouil sec
Sel

04/ 100 g de chanterelles
1 gousse d'ail
1 branche de thym
5 cl d'huile d'olive
Fleur de sel
Poivre du moulin

05/ 4 vernis de mer
4 mini-fenouils
2 figues fraîches
Fleur de sel
Huile d'olive

01/ **saint-jacques**
Faire fondre le beurre demi-sel. Au moment de servir, saisir les noix de Saint-Jacques à la plancha sur une seule face.

02/ **sauce citron confit (à réaliser 2 semaines avant)**
Réaliser un sirop avec l'eau et le sucre puis réserver. Laver les citrons de Menton, les piquer à l'aide d'une grosse aiguille et les faire mariner au gros sel pendant 24 heures. Les rincer ensuite à l'eau froide pendant 20 minutes puis laisser égoutter 30 minutes. Les éponger puis les mettre dans un sac sous vide avec un peu d'huile d'olive et le sirop, cuire 4 heures à 70 °C. Attendre 15 jours avant de consommer. Chauffer le lait et la crème puis mixer avec tous les ingrédients, chinoiser et émulsionner.

03/ **palet de pomme de terre**
Chauffer l'huile d'olive à 50 °C, ajouter les branches de fenouil sec et une pointe de sel, laisser infuser 4 heures puis passer au chinois. Tailler la pomme de terre dans la longueur en tranches de 5 mm d'épaisseur, puis tailler des palets de 3 cm de diamètre avec un emporte-pièce rond. Verser l'huile de fenouil sur les pommes de terre et cuire à couvert au four 45 minutes à 70 °C. Les pommes de terre doivent rester fermes. Réserver au chaud.

04/ **chanterelles**
Couper légèrement les pieds de chanterelles. Rincer les chanterelles sous un filet d'eau. Les mélanger délicatement avec de la fleur de sel, du poivre du moulin, l'huile d'olive, l'ail et le thym avant de les passer sous la salamandre.

05/ **finition et dressage**
Disposer les palets de pomme de terre chauds sur assiette, poser les Saint-Jacques rôties à côté puis les chanterelles autour. Ajouter l'émulsion de citron confit en plusieurs points. Râper, à l'aide d'une mandoline chinoise, des copeaux de mini-fenouil, assaisonner de fleur de sel et d'huile d'olive. Finir par quelques morceaux de figues fraîches et les vernis de mer ouverts à la minute.

blanquette de veau
aux barbes de Saint-Jacques

viandes
4 personnes

01/ 800 g de quasi de veau
50 cl de noilly-prat
50 cl de vin blanc
1 l de fond blanc
1 botte d'estragon
2 baies de genièvre
1 clou de girofle
1 gousse d'ail
1 branche de thym
25 cl de crème liquide

02/ 100 g de barbes de Saint-Jacques
20 cl de noilly-prat
20 cl de vin blanc
40 cl de fumet de poisson
1 badiane
3 gousses d'ail
1 branche de céleri
1 oignon
1 branche de thym
1 feuille de laurier
2 branches d'estragon
50 g de beurre
15 cl de crème liquide

03/ 8 cébettes
8 carottes fanes
16 olives taggiasche dénoyautées
10 cl de fond blanc
50 g de beurre
Huile d'olive
Sel, poivre

01/ **blanquette de veau**
Dégraisser et dénerver le quasi de veau, le tailler en gros cubes et
disposer dans une plaque à rebord. Mouiller avec le noilly-prat, le
vin blanc et le fond blanc, ajouter les baies de genièvre et le clou
de girofle, la gousse d'ail, l'estragon et la branche de thym. Filmer
et cuire au four vapeur à 56 °C pendant 2 heures. Ensuite, décanter
délicatement la viande et la réserver dans un plat filmé. Passer le jus
de cuisson à l'étamine, réduire de moitié, crémer puis verser sur la
viande. Réserver.

02/ **nage de barbes de Saint-Jacques**
Mettre les barbes de Saint-Jacques dans une passoire et les laver
soigneusement sous l'eau froide. Tailler le céleri, l'ail et l'oignon en
mirepoix, faire suer au beurre, ajouter les barbes et mouiller avec
le noilly-prat, le vin blanc et le fumet, ajouter la badiane, le thym, le
laurier et l'estragon. Cuire jusqu'à ce que les barbes soient fondantes.
Après cuisson, retirer les barbes, filtrer le jus de cuisson, le réduire des
trois quarts, crémer et réduire de moitié. Rectifier l'assaisonnement et
mélanger la sauce aux barbes.

03/ **garniture blanquette**
Cuire les carottes fanes à l'anglaise sans ébullition pour conserver
les fanes. Faire de même avec les cébettes. Refroidir les carottes et
les cébettes dans de l'eau glacée. Colorer les cébettes à l'huile d'olive
dans une poêle chaude. Glacer les carottes dans un beurre monté
(fond blanc réduit et beurre froid émulsionné), ajouter les olives
taggiasche et rectifier l'assaisonnement.

04/ jus de veau

Choisir de beaux tendrons de veau un peu gras, les faire bien colorer entiers à l'huile d'olive de tous les côtés, puis les retirer de la marmite. Laver et couper les légumes (carottes, oignon, céleri) en grosse brunoise, couper les gousses d'ail en deux, faire suer le tout dans la même marmite jusqu'à coloration puis ajouter les tendrons coupés en gros morceaux, le thym et le beurre. Continuer de faire colorer le tout 10 minutes en remuant bien, ajouter 50 cl d'eau puis réduire à sec. Ajouter ensuite de l'eau à hauteur des tendrons, faire bouillir afin d'écumer (retirer toutes les impuretés qui remontent à la surface) puis cuire 4 heures à feu très doux. Passer le jus au chinois fin, le placer au froid afin de retirer la graisse figée sur le dessus puis le faire chauffer à nouveau, le réduire à consistance liée et ajouter l'huile de noisette pour trancher le jus.

05/ finition et dressage

Chauffer doucement la blanquette de veau sans frémissement, ajouter les dés de colonnata, mélanger (le lard ne doit pas trop fondre). Chauffer les barbes de Saint-Jacques et la garniture de légumes. Disposer à droite de l'assiette la blanquette de veau et, sur chaque morceau de veau, mettre les barbes de Saint-Jacques. À gauche, verser le jus de veau tranché, disposer les légumes harmonieusement en alternant carottes fanes, cébettes, olives. Réaliser des chips de persil au micro-ondes : filmer une assiette, lustrer le film d'huile d'olive, lustrer également les feuilles de persil et les disposer sur le film. Placer une autre feuille de film sur le persil, la percer de quelques trous et cuire deux fois 20 secondes au micro-ondes ; les feuilles de persil deviennent translucides. Les poser alors sur du papier absorbant. Dresser une chips sur chaque morceau de viande surmonté de barbes.

04/ 1 kg de tendrons de veau
2 carottes
1 oignon blanc
2 gousses d'ail
2 branches de thym
1 branche de céleri
80 g de beurre
10 cl d'huile d'olive
10 cl d'huile de noisette

05/ 1/4 de botte de persil
50 g de lard de colonnata en dés

la Saint-Jacques
d'Erquy
octobre

blanquette
de veau aux barbes
de Saint-Jacques

fines feuilles au pralin blanc monté aux zestes de citron, sorbet lime Saint-Jacques

**desserts
4 personnes**

01/ Des feuilles de brick
150 g de beurre
150 g de miel

02/ 100 g de blancs d'œufs
65 g de sucre semoule
1/2 zeste de citron vert très fin
1 g de blanc d'œuf en poudre

03/ 250 g de lait entier
3 jaunes d'œufs
20 g de poudre à crème
25 g de sucre semoule
3 feuilles de gélatine
400 g de praliné noisettes
amandes

01/ **croustillant feuille de brick**

Réaliser le beurre clarifié : mettre le beurre dans un bac en plastique puis le passer au micro-ondes puissance maximale afin de le faire fondre et de séparer le beurre du petit-lait. Récupérer le beurre clarifié qui est en surface. Mélanger le beurre clarifié et le miel.
Étaler le mélange sur une feuille de brick puis couvrir d'une autre feuille de brick beurrée. Étaler à l'aide d'un rouleau et couper à l'emporte-pièce rectangulaire. Cuire à 150 °C entre deux feuilles Silpat pendant 10 à 12 minutes. Réserver à l'étuve entre des plaques.

02/ **blanc au citron**

Dans la cuve d'un batteur, monter les blancs en ajoutant progressivement le sucre semoule et le blanc d'œuf en poudre. Ajouter le zeste à la spatule. Verser dans un cadre de 2 cm de haut et cuire 4 minutes au four à 80 °C. Couper ensuite en forme rectangulaire de la même dimension que les croustillants feuille de brick et réserver au réfrigérateur.

03/ **crème pâtissière pralin**

Faire tremper les feuilles de gélatine puis les égoutter. Chauffer le lait. Blanchir les jaunes avec le sucre, ajouter la poudre à crème puis verser dans le lait chaud. Cuire jusqu'à épaississement puis ajouter les feuilles de gélatine. À froid, mélanger le pralin et réserver au frais.

04/ 125 g de lait entier
125 g de sucre
125 g d'eau
125 g de jus de citron vert
1/2 zeste de citron vert
Arôme Saint-Jacques

05/ 200 g de nappage neutre à froid
Colorant poudre argent

04/ sorbet lime Saint-Jacques
Chauffer l'eau et le lait à 50 °C, ajouter le sucre et l'arôme. Chauffer de nouveau puis laisser refroidir. Verser ensuite sur le jus et les zestes de citron. Turbiner.

05/ gelée nacrée
Mélanger le nappage et le colorant puis verser dans une poche à douille.

06/ finition et dressage
Placer au centre de l'assiette un rectangle de blanc au citron. Poser de chaque côté du blanc au citron deux rectangles de croustillant feuille de brick garnis au milieu de crème de pralin. Sur un côté de l'assiette, faire un trait de petits points de gelée nacrée et, de l'autre côté, poser une quenelle de sorbet lime Saint-Jacques surmontée d'une tige de sucre tiré vert.

la Saint-Jacques
d'Erquy
octobre

**fines feuilles
au pralin blanc
monté aux zestes
de citron,
sorbet lime
Saint-Jacques**

novembre

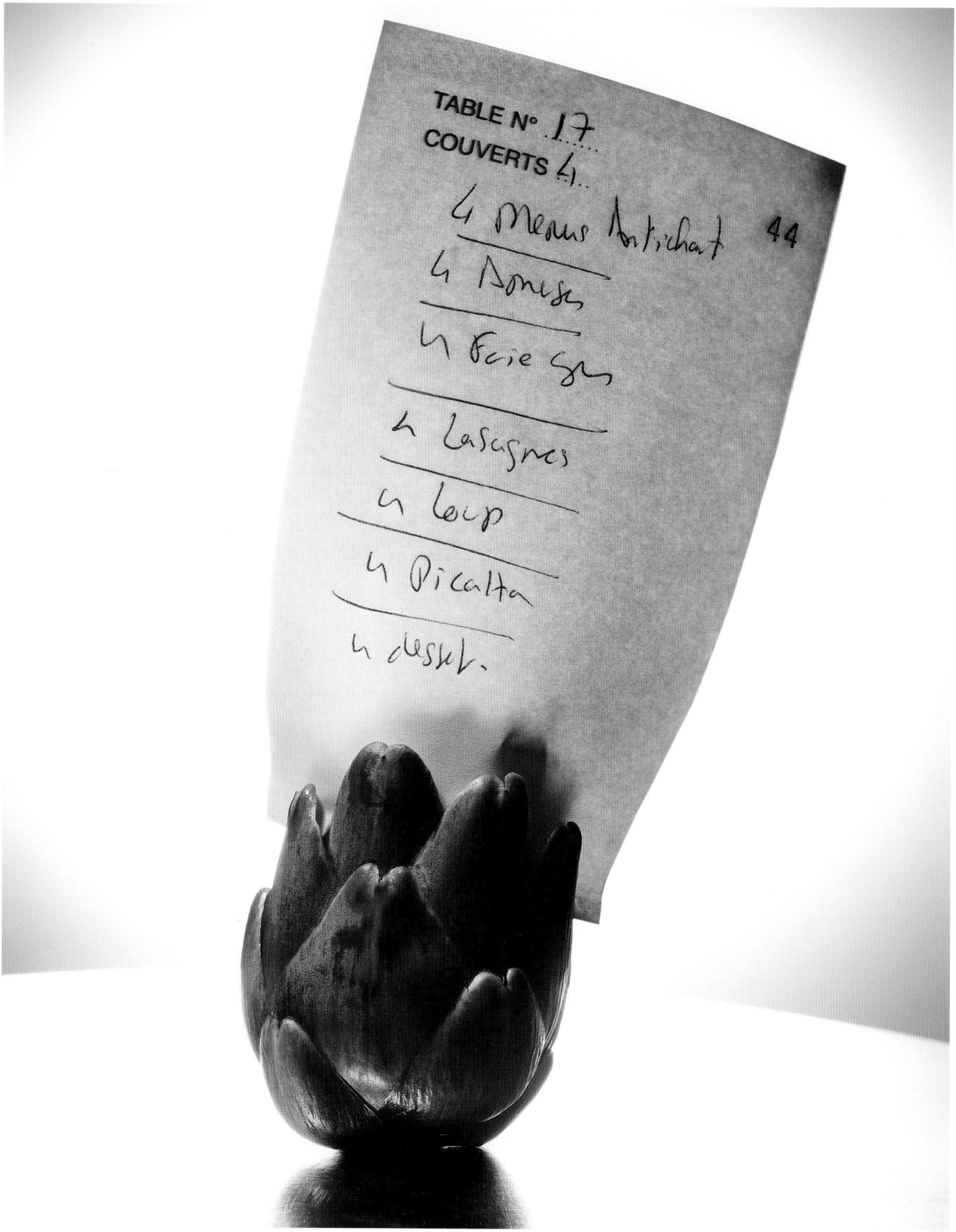
TABLE N° 17
COUVERTS 4
4 Menus Artichaut
44
4 Foie gras
4 Lasagnes
4 Loup
4 dessert.

l'artichaut épineux

La Rolls du Sud

Lui, c'est un fils du Sud, un vrai, un tatoué. Pas étonnant que Denis Fétisson l'apprécie autant. Entre ces deux-là règne davantage qu'une complicité de « pays » : une connivence de conscrits ! Ce séduisant Méditerranéen porte beau, magnifiquement fuselé au bout de sa tige longue d'une trentaine de centimètres – épaisse et cannelée, elle peut atteindre deux mètres –, ses robustes épines jaunes dressées à la pointe de feuilles vert foncé aux nuances latérales violacées. Lorsqu'on le laisse se développer, il se forme à son sommet des fleurs en aigrette dont la couleur varie du bleu au violet. Mais ce faux dur est un vrai tendre. Si on sait le dévêtir avec doigté, la partie comestible de ses feuilles internes se révèle exceptionnellement croquante, et son réceptacle floral charnu, le « fond », exhale un parfum unique. C'est son goût nettement plus prononcé que celui de ses congénères et son aspect moins fibreux qui font de cet artichaut la Rolls de sa catégorie.

Originaire d'Égypte ou d'Éthiopie, cette fleur de chardon domestiqué est passée en Italie d'où Catherine de Médicis l'apporta lorsqu'elle épousa le futur roi de France Henri II. C'est en Ligurie que se concentrent les conditions idéales de sa culture. Et les grandes tables de la Côte d'Azur font leur miel de cette proximité de terroir. Denis Fétisson l'a découvert grâce à Francis Chauveau, à *La Belle Otero*, le mythique restaurant du *Carlton* sur la Croisette. Rien à voir avec la saveur de son cousin le violet de Provence ! « On le faisait simplement sauter à cru avec du beurre de homard. » Denis continue de se fournir chez les maraîchers de Vintimille et de San Remo. La plaine d'Albenga, avec son climat tempéré, ses terrains frais, sablonneux, bien drainés, profonds et riches en matières organiques, en reste l'habitat le plus propice. Vivace, la plante y est récoltée tous les deux ou trois ans. Ce légume riche en fibres alimentaires, vitamines, magnésium, polyphénol et vitamines C, pauvre en lipides et cholestérol, est plébiscité par les nutritionnistes pour ses vertus antioxydantes, métaboliques et immunitaires qui font de lui un champion de la lutte contre le vieillissement et le diabète de type II, facteur d'obésité. Mais ce n'est pas tant pour ses propriétés médicinales que pour ses

qualités organoleptiques hors du commun que Denis Fétisson le travaille. Il faut d'abord bien le choisir. Jeune, car c'est là qu'il est le plus tendre, les feuilles serrées et de couleur uniforme, le pied ferme et pas trop desséché, gage de fraîcheur. Ensuite, il faut lui raccourcir la queue, casser les feuilles extérieures en prenant soin d'éviter les épines, épointer les autres qui sont comestibles, l'éplucher soigneusement en remontant depuis le bas de la tige jusqu'à épouser son galbe, le débarrasser de son foin, le « tourner » proprement en tranchant les parties dures pour arriver jusqu'au cœur.

Bon garçon, l'artichaut épineux est polyvalent et sa texture savoureuse se prête à toutes les préparations culinaires. Cru, plongé au préalable dans l'eau citronnée pour éviter l'oxydation, il se déguste tranché fin, avec du sel, du jus de citron et de l'huile d'olive, en salade, à la vinaigrette, à la croque au sel, farci à la barigoule comme ces petits champignons provençaux grillés sur la braise. Cuit à l'eau salée, à la vapeur, au four, poêlé, braisé, frit en beignet, doré uniformément, mijoté en velouté, il se nappe de sauce. Le cœur, mis en conserve ou mariné, s'incorpore aux hors-d'œuvre ou est employé comme garniture.

Denis aime cultiver le paradoxe de ce frère bourru au cœur tendre, aussi agressif à l'extérieur que moelleux à l'intérieur. Il aime le travailler jusqu'à en avoir les doigts noirs. Exhaler sa fraîcheur, servi délicatement tranché sur une petite salade croquante arrosée d'une vinaigrette à l'huile d'olive, filet de vinaigre de l'Estornell, sel et poivre et garni avec de fins copeaux de parmesan. Lui faire rendre la délicatesse de sa chair en le taillant en brunoise, sauté au beurre de homard, recouvert en espuma aillée et dressé avec ravioles au cerfeuil et chips de sauge. Restituer sa texture âcre et craquante en le farcissant d'une duxelles de champignons bien crémeuse, accompagné d'un filet de courbine enrobé d'une fine tranche de lard arrosée d'une vinaigrette à la ciboulette ciselée, zeste de citron confit. Exprimer sa dominante acidulée, sucrée ou d'une légère amertume que vient adoucir une pointe de noisette, en le servant en purée mousseline et chips sur un foie gras goûteux au vinaigre de cerise. Un goût mi-salsifis mi-asperge, fouetté par l'acidité du vinaigre, fondant et croquant à la fois... Pour clore un tel menu du produit à l'honneur, Pascal Giry le sert en torsade de crème glacée infusée, déposée dans un cornet de croustillant à l'orange évoquant un artichaut farci à la barigoule, et accompagné d'un pain de Gênes aux amandes glacé de framboises pour l'aciduler et lui rendre des couleurs. |

artichaut en mousseline en sphère de bouillon de volaille, salade croquante au vieux parmesan

entrées
4 personnes

01/ 5 artichauts de Macau
1 gousse d'ail
1/4 d'oignon blanc
50 cl de fond blanc
1/2 citron jaune
25 cl de crème liquide
4 g de kappa
5 feuilles de gélatine
4 cl d'huile d'olive

02/ 2 artichauts épineux
1 jus de citron jaune
100 g d'olives noires dénoyautées
4 cl d'huile d'olive

01/ **mousseline d'artichaut**

Tourner les artichauts, les rouler dans le jus de citron puis les couper en quatre et retirer le foin. Émincer l'ail et l'oignon, les faire suer à l'huile d'olive sans coloration puis ajouter les artichauts. Mouiller au fond blanc et cuire jusqu'à ce que les artichauts soient fondants. Passer au chinois fin afin de récupérer le jus de cuisson, mixer les artichauts en fine purée et la passer au tamis. Mélanger la purée d'artichauts avec les feuilles de gélatine ramollies, laisser refroidir et ajouter la crème montée souple. Mouler dans des demi-sphères et placer au congélateur. Mélanger 40 cl de bouillon de cuisson avec les 4 g de kappa puis porter à ébullition. Démouler les demi-sphères, les tremper dans le bouillon puis laisser refroidir. Réserver au frais.

02/ **artichaut à cru et purée d'olives noires**

Tourner les artichauts, retirer la barbe puis les tailler finement dans toute leur hauteur. Les conserver dans un jus de citron jaune. Sur une plaque, faire sécher les olives au four à 170 °C pendant 25 minutes. Les mixer ensuite en poudre puis monter à l'huile d'olive afin d'obtenir un coulis.

03/ 50 g de quinoa rouge
    10 g de sésame blanc
    10 g de sésame noir
    1 citron jaune
    1 orange
    100 g de sucre
    50 cl d'eau
    Sel

04/ 50 g de parmesan de Vintimille
    (affiné 18 mois)
    1/2 pain de campagne
    1/2 gousse d'ail
    2 salades rougettes
    2 salades amères (chicorée)
    4 tranches de pancetta
    2 cl d'huile d'olive Château Virant
    1 cl de vinaigre de l'Estornell
    Fleur de sel

03/ **quinoa soufflé aux agrumes**

Cuire le quinoa à l'anglaise, bien l'égoutter sur un papier absorbant puis le frire dans de l'huile à 160 °C pendant 40 secondes, égoutter et saler. Retirer les zestes du citron et de l'orange à l'aide d'un Économe, les tailler en fine brunoise puis les blanchir deux fois départ eau froide. Les cuire ensuite dans les 50 cl d'eau et le sucre, à frémissement, pendant 15 minutes. Passer au chinois et les faire sécher au four sur une plaque à 110 °C pendant 20 minutes. Mélanger le quinoa et les agrumes confits séchés aux sésames noir et blanc.

04/ **salade croquante, vieux parmesan et pancetta**

Laver les salades puis les effeuiller. Tailler le pain de campagne à la machine à jambon en tranches de 3 mm, les mettre sur une plaque lustrée à l'huile d'olive et cuire au four à 180 °C pendant 8 minutes. Frotter ensuite les tranches avec la gousse d'ail. À l'aide d'un Économe, tailler le bloc de parmesan en fines lamelles. Poser une tranche de pancetta sur une tranche de pain aillé. Assaisonner la salade avec l'huile d'olive, le vinaigre et la fleur de sel.

05/ **finition et dressage**

Sur une assiette plate, faire des points de coulis d'olives noires puis dresser la salade, ajouter le parmesan. Poser au milieu de l'assiette la mousseline d'artichaut, ajouter le quinoa soufflé sur le dessus.
Entre les feuilles de salade, dresser des lamelles d'artichauts à cru puis ajouter le toast de pancetta.

l'artichaut épineux
novembre

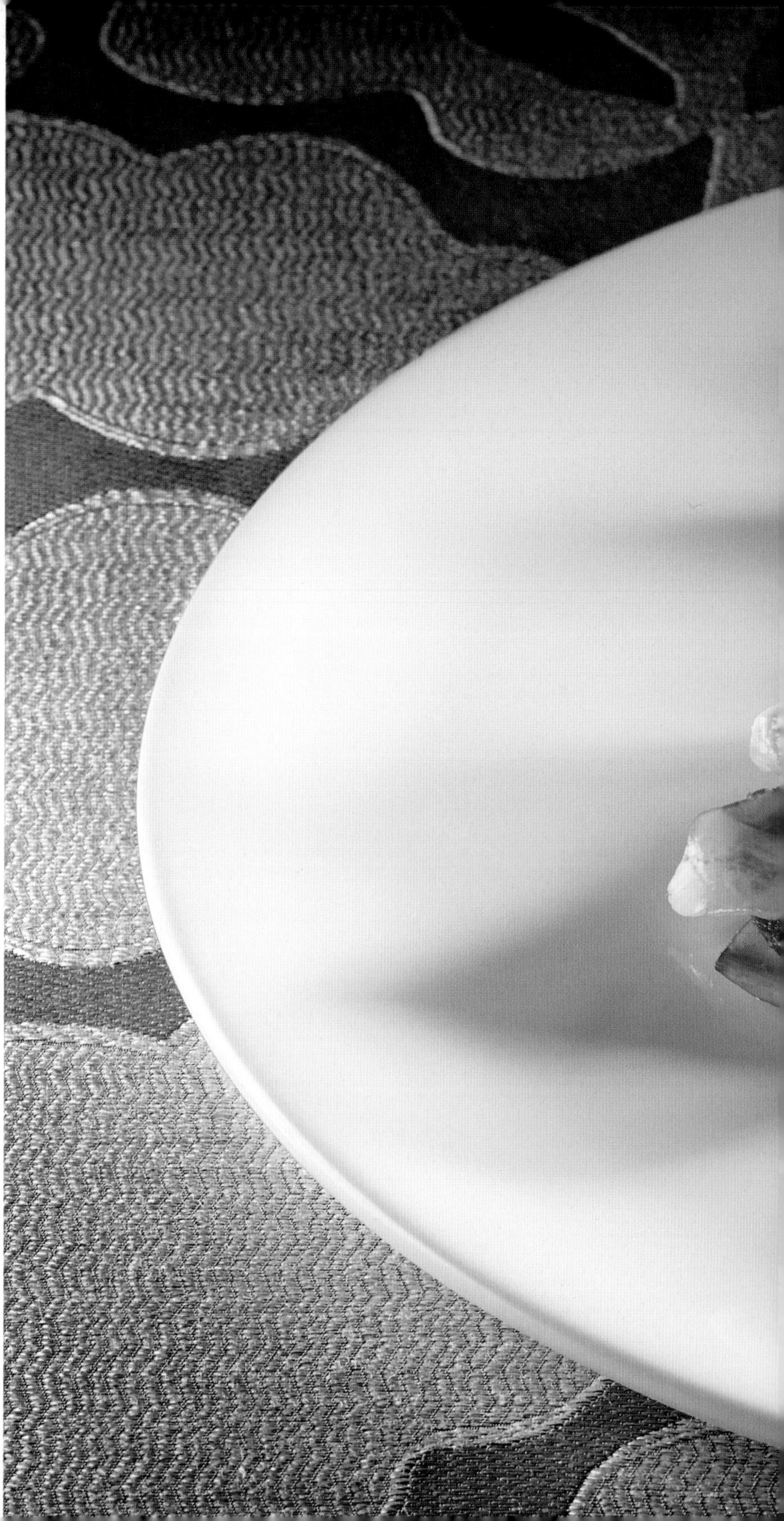

artichaut en mousseline en sphère de bouillon de volaille, salade croquante au vieux parmesan

lasagne ouverte, sauté d'artichaut au beurre de homard, jus corsé à la sauge

**pâtes
4 personnes**

01/ 300 g de farine T55
3 œufs
4 branches de cerfeuil
2 g de sel fin

02/ 2 carcasses de volailles
1/2 oignon blanc
1 gousse d'ail
1 branche de thym
1 feuille de laurier
1 branche de céleri
2 l d'eau

03/ 2 artichauts épineux
1/2 gousse d'ail
1/4 d'oignon blanc
25 cl de fond blanc de volaille
2 cl d'huile d'olive
20 cl de crème fraîche liquide
6 g d'agar-agar
3 feuilles de gélatine
Sel

04/ 2 carcasses de homards
100 g de beurre

05/ 2 artichauts épineux
15 g de beurre de homard
Sel
Poivre

06/ 4 cl de jus de veau
infusé à la sauge
4 feuilles de sauge frites

01/ **pâte à lasagne (à préparer la veille)**
Dans la cuve d'un batteur, mélanger la farine, les œufs et le sel puis mettre sous vide afin de bien compresser la pâte. Étaler ensuite la pâte au laminoir puis effeuiller le cerfeuil dessus. Replier la pâte sur elle-même puis la repasser au laminoir. La détailler en bandes rectangulaires de 3 cm de large et 8 cm de long. Laisser sécher un jour au froid. Cuire ensuite les bandes de pâte dans une eau salée frémissante pendant 3 minutes.

02/ **fond blanc de volaille**
Dans une grande casserole, verser l'eau, ajouter les carcasses de volailles, les légumes et les herbes. Faire bouillir, écumer et cuire à feu doux 45 minutes. Passer au chinois fin et utiliser pour la mousse d'artichaut.

03/ **mousse d'artichaut**
Tourner les artichauts et retirer le foin. Faire tremper les feuilles de gélatine dans l'eau froide. Émincer l'oignon et l'ail, les faire suer à l'huile d'olive, ajouter les artichauts, saler puis ajouter le fond blanc et la crème. Cuire à couvert 12 minutes puis mixer le tout afin d'obtenir une fine purée et passer au tamis. Faire bouillir 750 g de purée d'artichauts, ajouter l'agar-agar et la gélatine ramollie. Mettre dans un siphon, ajouter une cartouche de gaz. Garder au bain-marie à 50 °C.

04/ **beurre de homard**
Nettoyer les carcasses de homards sous l'eau froide puis les colorer au four 8 minutes à 180 °C. Les poser ensuite dans un rondeau et ajouter le beurre. Laisser cuire 10 minutes à feu doux puis passer au chinois fin. Utiliser pour le sauté d'artichaut.

05/ **sauté d'artichaut**
Tourner les artichauts, retirer le foin, tailler la chair en brunoise. Les faire sauter au beurre de homard, saler, poivrer.

06/ **finition et dressage**
Dans une assiette creuse, dresser dans un cercle rond la lasagne au cerfeuil, ajouter à l'intérieur le sauté d'artichaut puis remplir de mousse d'artichaut. Saucer de jus de veau infusé à la sauge et finir avec une feuille de sauge frite.

courbine de mer cuite à la plancha, fond d'artichaut à la grecque, fine duxelles, condiments au fenouil

poissons
4 personnes

01/ 1 filet de courbine de 700 g
40 g de gros sel
1 citron vert
50 g de lard de Colonnata
Sel de bonite séchée

02/ 4 artichauts épineux
1/2 oignon blanc
1 gousse d'ail
1/2 citron jaune
2 cl de vin blanc sec
8 graines de coriandre
2 branches de coriandre
1 cl d'huile d'olive
Sel fin
Poivre du moulin
duxelles
250 g de champignons de Paris
1 cl de porto blanc
1 branche de thym
2 échalotes
10 cl de crème liquide
Huile d'olive
Sel

01/ **courbine**
Recouvrir le filet de courbine de gros sel, le laisser ainsi pendant 7 minutes puis le passer sous l'eau froide. Portionner des morceaux de 90 g et les cuire vapeur à 68 °C pendant 8 minutes. Recouvrir ensuite les morceaux d'une fine tranche de lard de Colonnata puis passer 10 secondes à la salamandre. Ajouter le sel de bonite séchée et le zeste de citron vert.

02/ **artichaut à la grecque**
Tourner les artichauts puis les frotter avec le demi-citron. Émincer l'oignon et la gousse d'ail, les faire suer sans coloration à l'huile d'olive puis ajouter les artichauts et les graines de coriandre. Mouiller au vin blanc et finir par la coriandre fraîche, le sel et le poivre du moulin. Laisser cuire à couvert 8 minutes à frémissement, sonder avec la pointe d'un couteau afin de vérifier la cuisson : les artichauts doivent être fondants. Les laisser refroidir dans le jus de cuisson puis retirer le foin à l'aide d'une pomme parisienne.
duxelles / Ciseler les échalotes, les faire suer à l'huile d'olive sans coloration, saler puis ajouter les champignons de Paris hachés finement. Verser le porto blanc, faire réduire à sec et finir par la crème liquide et la branche de thym. Cuire à feu doux 10 minutes afin d'obtenir une consistance épaisse et liée. Goûter et rectifier l'assaisonnement si besoin. Garnir les fonds d'artichauts de duxelles.

03/ 300 g de cresson
   5 cl de crème liquide
   2 feuilles de gélatine
   1 g d'agar-agar
   Sel fin

04/ 150 g de purée de cresson
   50 g de farine
   50 g de blancs d'œufs
   50 g de beurre fondu
   Sel fin

05/ 30 g de tomate confite
   1/2 poivron rouge
   30 g de fenouil bulbe
   40 g de citron confit
   5 g de sésame blanc
   5 g de sésame noir
   2 cébettes
   10 g de graines de fenouil
   2 g de tandoori
   10 cl d'huile d'olive
   Sel fin

03/ **mousseux de cresson**
Faire tremper la gélatine dans de l'eau froide. Cuire le cresson dans une eau bouillante salée pendant 6 minutes puis le refroidir dans une eau glacée. Bien le presser et le mixer avec un peu d'eau de cuisson afin d'obtenir une fine purée. Faire bouillir la crème, ajouter l'agar-agar, mélanger et retirer du feu. Ajouter alors la gélatine ramollie, saler. Mélanger la crème à la purée de cresson, verser dans un siphon équipé de deux cartouches, bien secouer la tête en bas et maintenir à 40 °C au bain-marie.

04/ **chips de cresson**
Mélanger la farine et les blancs d'œufs au fouet, les ajouter à la purée de cresson, finir par le beurre fondu et le sel. Étaler finement le mélange sur un papier cuisson puis cuire au four sec à 140 °C pendant 6 minutes.

05/ **condiments petits appétits**
Tailler le cœur du fenouil en petite brunoise. Éplucher le poivron, gratter l'intérieur puis le tailler en fine brunoise ainsi que les tomates confites. Tailler les cébettes en biseau. Mélanger le tout puis ajouter les sésames, les graines de fenouil concassées, le citron confit coupé en fine brunoise, l'huile d'olive, le tandoori et le sel.

06/ **finition et dressage**
Dresser la courbine sur le côté gauche de l'assiette. À côté, dresser l'artichaut garni de duxelles, déposer dessus la chips de cresson et, au centre de la chips, le mousseux de cresson. Parsemer de pointes de condiments petits appétits.

l'artichaut
épineux
novembre

courbine de mer
cuite à la plancha,
fond d'artichaut
à la grecque,
fine duxelles,
condiments
au fenouil

pluma de porc ibérique en écorces épineuses, pomme boulangère, yuzu caramélisé

**viandes
4 personnes**

01/ 480 g de pluma de porc ibérique
     6 artichauts épineux
     1 branche de thym
     1 gousse d'ail
     20 g de beurre
     Sel fin

02/ 2 grosses pommes de terre Agria
     2 oignons blancs
     2 filets d'anchois au sel
     2 branches de thym
     3 cl d'huile d'olive
     2 gousses d'ail
     50 cl de fond blanc de volaille
     Sel

03/ 1 yuzu frais (zeste et jus)
     2 feuilles de nori
     3 cl de soja
     20 g de sucre semoule
     25 cl d'eau

01/ **pluma et artichaut**
Tailler la pluma en tranches fines. Tourner les artichauts, retirer le foin et le tailler en tranches. Faire fondre le beurre dans une poêle avec le thym et l'ail émincé, saler et faire sauter les artichauts.

02/ **pomme boulangère et chips**
Émincer finement les oignons et une gousse d'ail, hacher les filets d'anchois et effeuiller une branche de thym. Dans l'huile d'olive, faire fondre les anchois puis ajouter les oignons, l'ail et le thym émincés. Faire cuire à couvert jusqu'à obtenir une compotée. Goûter et ajouter du sel si besoin. À l'aide de tubes inox de 3 cm de diamètre et de 5 cm de longueur, tailler la pomme de terre dans la hauteur. Cuire les tubes de pomme de terre dans le fond blanc avec une branche de thym et une gousse d'ail émincés, puis les refroidir dans le jus de cuisson. Les creuser ensuite avec une pomme parisienne et les garnir de compotée d'oignon. Dans la largeur d'une pomme de terre, tailler à la mandoline de fines tranches puis les blanchir départ eau froide. Bien les éponger puis les frire à 140 °C.

03/ **sauce yuzu**
Faire un caramel avec le sucre puis ajouter le jus de yuzu, le soja, l'eau et les feuilles de nori. Cuire 4 minutes puis mixer le tout au blinder. Finir par les zestes de yuzu.

04/ **finition et dressage**
Griller la pluma sur une face, ajouter les artichauts sautés sur le dessus. Chauffer les pommes boulangères au four avec un peu de jus de cuisson dans le fond du plat. Dans une assiette, dresser une tranche de pluma surmontée d'artichauts sautés. De chaque côté, poser un tube de pomme boulangère couvert d'une chips. Verser la sauce yuzu tiède.

cœur d'artichaut glacé au pain de Gênes, framboises en douceur de basilic

desserts
4 personnes

01/ 200 g de sucre glace
60 g de farine
75 g de jus d'orange
2 zestes fins d'orange
75 g de beurre fondu froid

02/ 500 g de crème liquide
à 35 % de matière grasse
500 g de lait entier
180 g de sucre
150 g de jaunes d'œufs
300 g de cœurs d'artichauts
en boîte

03/ 100 g de framboises
60 g de sucre
1,5 g de pectine NH
10 g de jus de citron
45 g de nappage neutre

04/ 50 g de lait entier
50 g de crème
à 35 % de matière grasse
18 g de jaunes d'œufs
14 g de sucre
2 g de basilic
0,8 g de gélatine

01/ **croustillant orange**
Mélanger délicatement tous les ingrédients. Verser en une fine couche sur une plaque antiadhésive et cuire au four à 170 °C environ 10 minutes. À la sortie du four, détailler un carré et rouler en forme de cornet.

02/ **crème glacée à l'artichaut**
Mixer les cœurs d'artichauts en purée. Faire bouillir le lait et la crème, ajouter la purée d'artichauts et laisser infuser. Passer ensuite au chinois étamine. Blanchir les jaunes avec le sucre puis ajouter le lait aromatisé. Cuire à 85 °C. Laisser refroidir, mixer et turbiner.

03/ **framboise pépin**
Dans une casserole, cuire pendant 15 minutes les framboises avec le sucre, la pectine et le jus de citron. Ajouter ensuite le nappage et mixer pendant 10 minutes.

04/ **crème prise au basilic**
Faire bouillir le lait et la crème, ajouter les feuilles de basilic et laisser infuser à couvert pendant 10 minutes. Passer au chinois étamine. Blanchir les jaunes avec le sucre puis ajouter le lait aromatisé et cuire comme une crème à 83 °C. Finir avec les feuilles de gélatine ramollies.

05/ **cristalline transparente**

Chauffer le glucose avec le fondant dans une casserole, et cuire à 155 °C. Refroidir, mixer en poudre. Tamiser sur une feuille Silpat légèrement graissée et réaliser des ronds à l'aide d'un pochoir. Passer les ronds quelques instants au four à 180 °C et faire un trou au centre. Stocker les cristallines à l'abri de l'humidité.

06/ **pain de Gênes**

Mixer la pâte d'amande avec un œuf. À l'aide d'un batteur, monter ensuite la pâte en ajoutant un à un les deux œufs restants, pendant 5 minutes. Ajouter ensuite le beurre fondu, la farine, la fécule ainsi que le colorant. Verser dans un cadre graissé et cuire au four à 170 °C pendant 15 minutes. Refroidir et surgeler avant de couper des carrés de 2 cm de côté.

07/ **finition et dressage**

Dans une assiette, placer une cristalline transparente dans laquelle on aura glissé le cornet croustillant orange garni de deux framboises fraîches, de la crème basilic puis d'une torsade de crème glacée à l'artichaut. Ajouter quatre carrés de pain de Gênes disposés en arc de cercle dans l'assiette. Les glacer de framboise pépin et ajouter dessus des pétales de fleur de sureau. Garnir de deux framboises fourrées de coulis de fruits.

cœur d'artichaut
glacé au pain
de Gênes,
framboises en
douceur de basilic

décembre

le chocolat

Soumettez-moi à la tentation...

Avec la promesse des fêtes de fin d'année et leur cortège d'excès assumés, voici que se glisse à nos tables un convive controversé tant il est addictif, un parfum d'interdit, presque un péché tant il est savoureux, charmeur, velouté, fondant sur la langue, brûlant dans la gorge.

Le livre de la Genèse maya attribue sa découverte à des dieux qu'on a connus moins inspirés. Originaire des plaines tropicales d'Amérique du Sud et centrale, la fève de cacao y est cultivée depuis des millénaires comme une monnaie d'échange, un produit précieux durant toute la civilisation précolombienne. Les peuples mésoaméricains l'utiliseront ensuite à des fins thérapeutiques ou lors de rituels, avant d'en tirer une boisson chaude, mousseuse et amère, souvent aromatisée avec de la vanille et du piment, le *xocoatl*. Christophe Colomb la découvre sur l'île de Guanaja, et Cortés la rapportera à son roi. Très appréciée de l'aristocratie et du clergé espagnols, elle se répand en Europe dans les valises des juifs séfarades fuyant l'Inquisition. Comme pour le thé ou le café, l'Église se pose d'ailleurs un temps la question de savoir s'il s'agit d'un aliment ou d'une source de plaisir. Le succès des premières chocolateries tranche le débat théologique.

Différentes espèces de cacaoyers sont réparties à travers les régions chaudes du monde. Le fruit, appelé cabosse, est récolté deux fois par an. Les graines issues de ses fèves vont subir trois types de fermentation : alcoolique, lactique, puis acétique. Une fois séchées pour en libérer les précurseurs d'arômes, elles sont torréfiées, concassées

et broyées, puis malaxées en une pâte à laquelle on ajoute différents ingrédients. Enfin le chocolat est chauffé et brassé pour augmenter son homogénéité et son onctuosité. Puis cristallisé pour lui donner l'aspect brillant, lisse, la dureté et le fondant que nous lui connaissons.

D'une incroyable complexité chimique, le chocolat est un puissant antioxydant grâce aux flavonoïdes qu'il contient, et un stimulant doux pour les systèmes nerveux central, circulatoire, respiratoire et gastro-intestinal. Cru, il permettrait de conserver les saveurs et nutriments originels. Vendu en pharmacie comme fortifiant jusqu'au début du XIXe siècle, il est également considéré comme un antidépresseur naturel, en raison de l'effet du cannabinoïde sur les récepteurs nerveux.

C'est aux *Chênes Verts*, où il apprend le métier à la dure auprès de son parrain Paul Bajade, que Denis Fétisson éprouve ses premiers émois chocolatés. En se réveillant de la sieste, le bougre ouvre en deux un morceau de pain qu'il beurre et saupoudre de cacao !
Mais c'est au Mexique que ses goûts en la matière s'affineront...
Engagé par Jany Gleize pour mettre en place la carte provençale du restaurant *La Bonne Étape*, au sein d'un palace de Mexico City, le *Camino Real*, il s'applique à ce que la brigade en place n'ait pas le sentiment d'être chassée de chez elle. Pas rancuniers, les cuisiniers mexicains l'invitent dans le bidonville voisin dont ils sont issus et lui offrent en guise de cadeau de départ du cacao torréfié pur, non raffiné, d'une amertume sauvage qu'il n'imaginait même pas. Une leçon d'humilité dont Denis gardera le souvenir. Dès lors, il utilisera le cacao brut non pas pour son gras et sa douceur toujours un peu écœurants, mais comme un condiment, un assaisonnement choisi pour son amertume et sa capacité à surprendre les palais. Il apprend à reconnaître l'incroyable palette organoleptique des grands crus de chocolat. Leur univers gustatif, dont on a identifié à ce jour jusqu'à cinq cents molécules, partage avec le vin de nombreux critères de dégustation qu'il s'attache à faire apparaître dans sa cuisine : aspect, casse, odeur, texture, goût, flaveurs et longueur en bouche...

Si une nouvelle variété, le Liyu, produite au Viêtnam, l'a séduit récemment, sa préférence va au Gianduja. Il fut inventé par les chocolatiers piémontais lors du blocus continental imposé par Napoléon Ier aux navires anglais : face à la pénurie de matière première, ils incorporèrent au cacao des noisettes qu'ils possédaient en abondance...

Lorsqu'il est pulvérisé dans un consommé de poule, son astringence exhale toutes les composantes volatiles des foies de volaille et du lard gras farci de cèpes séchés, sauté aux échalotes et déglacé au cognac, auxquels il est incorporé.

Composante de la pâte de ravioles à la sauce crémeuse aux oignons blancs, agrémentées de roquette, il révèle sa texture granuleuse et impose ses flaveurs fleuries à la farce fine de la chair du loup accommodé d'une mousseline de truffes noires dans laquelle il se glisse.

Sur une sole nappée d'une sauce réduite au vin blanc et noilly-prat piquée de citron confit, il sera servi en râpé de chocolat blanc et grué de cacao, juste avant l'envoi, pour développer ses saveurs complexes en se dépliant lentement au lieu de s'ouvrir d'un seul coup.

Incorporé au jus de cuisson de canettes laquées au caramel d'épices déglacé aux agrumes, il laisse découvrir son amertume fondante en contrepoint du croustillant des cuisses poêlées et réduites aux chayottes, à l'ail et au thym.

Pascal Giry se rappelle avec émotion la mousse de son enfance, fondue au beurre et tournée aux jaunes d'œufs, dans laquelle sa grand-mère le laissait tremper un index gourmand. Assumant cette régression infantile douce et réconfortante, il achève de nous faire sombrer avec un cœur moelleux et fruité de ganache Guanaja aux tubes de noix de coco et de caramel parsemés de suprêmes de mandarines glacées qui nous font crier grâce. |

soupière de bouillon de poule en amertume, cou farci au foie gras poché

**entrées
4 personnes**

01/ 1 volaille de Bresse entière
20 g de foie gras
40 g de cèpes séchés
40 cl de crème liquide
80 g de foies de volaille
20 g de lard de Colonnata
10 g d'échalote
Cognac
Huile d'olive
Sel, poivre

02/ 1 poule fermière
3 g de cacao amer
4 oignons
Garniture aromatique :
1 oignon
1 carotte
1 branche de céleri
2 échalotes
1/2 poireau
2 clous de girofle

03/ 10 g de céleri-rave
10 g de carotte
10 g de champignons de Paris
10 g de navet jaune
8 g de radis noir
8 g de chou frisé
Sel, poivre

04/ Pâte feuilletée cuite et dorée

01/ **cou farci**

Préparer et découper la volaille. Mixer 200 g de blancs de volaille, ajouter la crème, saler puis passer au tamis fin. Ajouter 80 g de foies de volaille coupés en petits cubes ainsi que 20 g de lard de Colonnata. Réhydrater les cèpes séchés dans de l'eau froide puis les hacher très finement. Les faire sauter dans de l'huile d'olive, ajouter 10 g d'échalote ciselée très finement et déglacer au cognac, saler et poivrer. Ajouter les cèpes et 20 g de foie gras coupé en petits dés dans la farce fine. Réserver au frais. Retrousser le cou de la volaille puis le rincer à l'eau froide vinaigrée. Ensuite, bien dégraisser l'intérieur du cou, le farcir avec la farce fine puis le rouler dans du papier film. Mettre sous vide et cuire au four vapeur 30 minutes à 70 °C. Après cuisson, mettre la poche sous vide dans de l'eau glacée afin d'arrêter la cuisson. Une fois refroidi, tailler des tranches de cou farci selon l'épaisseur voulue.

02/ **bouillon de poule**

Vider la poule, bien la rincer à l'eau froide. Dans une casserole remplie d'eau, faire bouillir la poule fermière, écumer et ajouter la garniture aromatique. Refaire bouillir, écumer de nouveau. Laisser cuire 4 à 5 heures à frémissement, passer au chinois puis clarifier. Ajouter la poudre de cacao amer.

03/ **garniture soupière**

Tailler une brunoise de céleri-rave, carotte, champignons de Paris, navet jaune et radis noir puis émincer le chou frisé. Faire blanchir les légumes séparément à l'eau bouillante salée puis les refroidir aussitôt dans une eau glacée de manière à garder leur belle couleur. Égoutter les légumes, les mélanger, assaisonner et réserver.

04/ **finition et dressage**

Dans une soupière individuelle, disposer deux cuillères à soupe de garniture soupière puis deux tranches de cou de volaille farci. Remplir la soupière de bouillon de poule. Fermer la soupière avec de la pâte feuilletée cuite et dorée. À l'aide d'un couteau, découper un cercle dans la pâte suivant le pourtour de la soupière. Décaler ce couvercle de pâte feuilletée sur le bord de la soupière de manière à laisser se dégager toutes les saveurs.

fines ravioles chocolatées, mousseline de loup truffée

pâtes
4 personnes

01/ **pâte à raviole chocolat**
800 g de farine
10 œufs
140 g de cacao en poudre
5 cl d'huile de truffe blanche
5 g de sel fin
farce fine de loup
250 g de filets de loup
12,5 cl de crème liquide
2 blancs d'œufs
10 g de truffe noire
Sel fin, poivre

02/ 1 potimarron
80 g de beurre
Huile de truffe noire
Sel fin

03/ 30 cl de lait entier
10 cl de crème liquide
10 cl de fond blanc
2 oignons blancs
1 gousse d'ail
1 branche de thym
5 cl de jus de truffe
Beurre
Sel fin, poivre

04/ Feuilles de roquette sauvage
Huile d'olive
Fleur de sel

01/ **ravioles chocolatées**
pâte à raviole chocolat / Dans la cuve d'un batteur, mélanger la farine, les œufs, le cacao en poudre, le sel fin et l'huile de truffe blanche. Mettre la pâte sous vide de manière à bien la serrer pour pouvoir la travailler plus facilement.
farce fine de loup / Mixer les filets de loup avec la crème et les blancs d'œufs puis passer la farce au tamis. Ajouter la truffe noire hachée, assaisonner de sel fin et de poivre puis réserver au frais.
réalisation des ravioles / Étaler la pâte le plus finement possible en formant un grand rectangle. À l'aide d'un pinceau, mouiller le bas de votre rectangle afin de pouvoir coller la pâte. Avec une poche à douille, tirer un boudin de farce fine de loup sur toute la longueur du rectangle de pâte puis enrouler le boudin dans la pâte. À l'aide du pouce et de l'index, presser le rouleau de pâte farcie tous les 3 cm de façon à former des petits berlingots puis couper à chaque jointure pour séparer les ravioles.

02/ **purée de potimarron**
Couper le potimarron en deux sans l'éplucher puis, à l'aide d'une cuillère, vider les graines. Tailler en gros cubes puis les cuire à l'anglaise 12 minutes dans une grande quantité d'eau bouillante salée. Égoutter. Dans une cuve de Thermomix, mixer 200 g de potimarron cuit, monter au beurre puis ajouter l'huile de truffe. Assaisonner.

03/ **écume truffe**
Faire suer les oignons blancs avec une pointe d'ail et une branche de thym. Une fois les oignons fondus sans coloration, mouiller au fond blanc puis cuire 20 minutes pour faire réduire. Ajouter ensuite le lait et la crème, faire légèrement réduire, passer au chinois puis additionner le jus de truffe et une noix de beurre, saler et poivrer.

04/ **finition et dressage**
Cuire les ravioles 4 minutes dans une eau salée à 90 °C puis les égoutter. Les passer ensuite dans un bol contenant de l'huile d'olive, ajouter la fleur de sel puis disposer dans l'assiette. À l'aide de deux petites cuillères, former des quenelles de purée de potimarron et les disposer dans l'assiette à côté de chaque raviole. Décorer chaque raviole d'une feuille de roquette sauvage, huiler, saler à la fleur de sel. Émulsionner l'écume truffe à la dernière minute puis disposer sur l'assiette.

sole en filets dorés au beurre de cacao, râpé de grué

poissons
4 personnes

01/ 2 soles de petit bateau
20 g de beurre Mycryo
Sel fin

02/ Huile d'olive
2 échalotes
1 branche de céleri
1 gousse d'ail
15 cl de vin blanc
15 cl de noilly-prat
10 cl de crème liquide
25 g de chocolat blanc
80 g de beurre

03/ 6 citrons de Menton
500 g de gros sel
100 g de sucre
25 cl d'eau
Huile d'olive

01/ **sole**
Ôter la peau des soles puis lever les filets (réserver les arêtes), les rincer à l'eau froide, les éponger. Cuire les filets de sole au four vapeur à 65 °C pendant 3 minutes. Les saupoudrer ensuite de beurre Mycryo.

02/ **sauce**
Faire dégorger les arêtes de soles sous un filet d'eau froide pendant 10 minutes puis les faire revenir dans de l'huile d'olive, ajouter la garniture aromatique (échalotes, céleri, ail), déglacer au vin blanc puis mouiller à hauteur. Faire réduire ce fumet de poisson, en récupérer 20 cl, ajouter le noilly-prat puis faire réduire. Ajouter la crème et faire à nouveau réduire. Monter la sauce au beurre puis la lier avec le chocolat blanc.

03/ **citron confit (à réaliser 15 jours avant)**
Laver à grande eau les citrons de Menton puis les piquer à l'aide d'une grosse aiguille. Les recouvrir de gros sel et mettre sous presse. Faire mariner les citrons 24 heures, les rincer pendant 2 heures. Les mettre sous vide avec l'huile d'olive et le sirop (eau + sucre) puis les cuire à 70 °C pendant 5 heures au four vapeur. Attendre 15 jours avant de les consommer.

04/ **palet de légumes**

Couper à la mandoline des tranches de green meat, de red meat et de navet boule d'or d'une épaisseur de 1 cm, puis les détailler à l'aide d'un emporte-pièce de 3 cm de diamètre. Disposer séparément chaque sorte de palets dans trois petits sautoirs. Répartir le fond blanc de volaille dans chacun d'eux, ajouter une demi-gousse d'ail, une branche de thym et une noix de beurre, saler, cuire à feu vif jusqu'à évaporation du bouillon puis glacer.

04/ 2 navets green meat
2 navets red meat
2 navets boule d'or
3 branches de thym
1,5 gousse d'ail
25 g de beurre
50 cl de fond blanc de volaille
Fleur de sel

05/ **coulis de persil**

Cuire les feuilles de persil dans une eau bouillonnante salée (l'eau bien salée permettra de fixer la chlorophylle de manière à garder une belle couleur verte). Après cuisson, mixer le persil puis le monter à l'huile d'olive. Assaisonner puis réserver au frais.

05/ 1 botte de persil plat
Huile d'olive
Sel fin

06/ **finition et dressage**

Disposer un palet de chaque légume dans une assiette. Découper un filet de sole en trois puis en poser un morceau sur chaque palet de légumes. À l'aide d'une petite cuillère, tirer des traits de sauce chocolat blanc puis faire de même avec le coulis de persil. Déposer des tranches de citron confit. Saupoudrer du grué de cacao sur les filets de sole puis râper du chocolat blanc sur l'assiette à l'aide d'une Microplane.

06/ 10 g de grué de cacao
Chocolat blanc

le chocolat
décembre

**sole en filets dorés
au beurre de cacao,
râpé de grué**

canette laquée aux épices douces, les cuisses en salade de jeunes pousses, chayotte massée au beurre

**viandes
4 personnes**

01/ 1 canette
Huile d'olive
Thym
Ail
Gros sel
Sel, poivre

02/ 2 chayottes
1 gousse d'ail
1 branche de thym
Beurre
Fond blanc de volaille
Sel fin
Poivre du moulin

03/ 10 g de cacao
2 cl de liqueur de framboise
3 cl de vinaigre de framboise
3 cl de porto rouge
50 g de framboises fraîches
garniture aromatique :
2 gousses d'ail
1 oignon
1 carotte
2 branches de céleri

01/ **canette**
Lever les cuisses et les désosser. Les saler dessous et dessus avec du gros sel, ajouter de l'ail émincé, du thym et un trait d'huile d'olive et laisser ainsi pendant 2 h 30. Ensuite, dessaler 10 minutes à l'eau froide, mettre sous vide avec de l'huile d'olive, de l'ail et du thym et cuire vapeur 4 heures à 80 °C. Une fois cuites, les mettre sous presse dans une terrine. Détailler ensuite en carrés et faire colorer côté peau. Préparer la carcasse (récupérer les manchons de canard pour le jus), bien la vider puis colorer les suprêmes côté peau sur la carcasse dans un poêlon à l'huile d'olive. Refroidir puis mettre en sac sous vide avec du sel fin, du poivre, de l'huile d'olive, du thym et de l'ail écrasé. Cuire à 62 °C en vapeur pendant 45 minutes pour une température à cœur du suprême de 56 °C au moment de servir. Lever les suprêmes, faire colorer la peau à l'huile d'olive pour qu'elle soit bien croustillante.

02/ **chayotte**
Éplucher et tourner les chayottes puis les cuire à l'anglaise jusqu'à ce qu'elles soient fondantes. Poser les chayottes dans le fond blanc de volaille avec une gousse d'ail et une branche de thym. Faire réduire puis ajouter une noix de beurre et glacer. Rectifier l'assaisonnement.

03/ **jus de canette**
Tailler en mirepoix la garniture aromatique. Dans une casserole, faire suer la garniture aromatique puis ajouter la carcasse et les manchons puis refaire suer le tout. Ajouter le cacao, torréfier puis ajouter la liqueur de framboise, le vinaigre de framboise, le porto rouge, mouiller à l'eau et cuire à frémissement 2 h 30. Passer ensuite au chinois étamine et faire réduire avec quelques framboises fraîches.

04/ 500 g de sucre
8 oranges
2 pamplemousses
2 citrons verts
4 g de gingembre en poudre
4 g de cardamome en poudre
4 g de cannelle en poudre

05/ Cerfeuil
Ciboulette
Persil plat
Estragon
Huile d'olive
Fleur de sel

04/ **caramel d'épices**
Faire fondre le sucre semoule dans une casserole jusqu'à caramélisation puis déglacer avec le jus de citron vert, le jus d'orange et le jus de pamplemousse. Ajouter toutes les épices (gingembre, cardamome et cannelle), puis réduire à consistance d'un sirop, réserver à température ambiante.

05/ **finition et dressage**
Couper les suprêmes en deux dans la longueur puis les laquer au caramel d'épices. Disposer les morceaux de suprême sur l'assiette et un cube de cuisse à côté. Dresser les chayottes puis saucer l'assiette avec le jus de canette chocolat-framboise. Réaliser une salade d'herbes avec de la ciboulette, du cerfeuil, du persil plat et de l'estragon puis assaisonner d'huile d'olive et de fleur de sel. Disposer un petit bouquet d'herbes sur le cube de cuisse de canette.

le chocolat
décembre

**canette laquée
aux épices douces,
les cuisses en salade
de jeunes pousses,
chayotte massée
au beurre**

cœur moelleux au chocolat Guanaja rouleaux aux pépites de noix de coco

**desserts
4 personnes**

01/ 300 g de fondant
200 g de glucose
200 g de chocolat au lait

02/ 100 g de chocolat Jivara au lait
300 g de crème UHT

03/ 200 g de chocolat
couverture noire

04/ 250 g de crème fleurette
225 g de chocolat cœur
de Guanaja
35 g de trimoline
112 g de beurre

05/ 200 g de pulpe de coco
80 g de sucre semoule
2 feuilles de gélatine
120 g de crème fouettée
50 g de coco râpée
12 g de Malibu

06/ Suprêmes de mandarine glacés
Zestes de citron vert

01/ **caramel chocolat**
Cuire le fondant avec le glucose jusqu'à obtenir un très léger caramel. Décuire avec le chocolat au lait. Refroidir puis mixer. Saupoudrer dans un pochoir carré, refaire fondre au four à 175 °C pendant 1 minute puis enrouler autour d'un cylindre. Laisser refroidir.

02/ **espuma chocolat au lait**
Chauffer la crème puis la verser progressivement sur le chocolat au lait. Mettre en syphon.

03/ **carré de chocolat imprimé**
Mettre le chocolat au point : le monter à 45 °C au bain-marie, descendre ensuite à 28 °C puis monter à 31 °C afin que le chocolat garde une belle couleur brillante. L'étaler ensuite en une fine couche sur Rhodoïd imprimé « Guanaja ». Enlever l'excédent, laisser légèrement figer. Couper des carrés (1 cm sur 1 cm) et réserver entre deux plaques au réfrigérateur.

04/ **ganache chocolat Guanaja**
Faire bouillir la crème avec la trimoline. Verser progressivement sur le chocolat haché et le beurre.

05/ **mousse noix de coco**
Réhydrater la gélatine. Faire chauffer la pulpe de coco et y faire fondre la gélatine. Laisser refroidir. Incorporer ensuite progressivement la pulpe de coco à la crème fouettée, ajouter le Malibu et la coco râpée. Couler dans un cadre de 2 cm de hauteur puis, à l'aide d'un emporte-pièce de 8 mm de diamètre, réaliser des tubes. Les rouler ensuite dans la noix de coco râpée.

06/ **finition et dressage**
Fourrer le tube de caramel d'espuma au chocolat au lait. Le placer ensuite debout au centre de l'assiette. Coller sur la paroi du tube un carré de chocolat imprimé. Disposer autour quatre tubes de noix de coco et trois suprêmes de mandarine glacés. Disposer quelques zestes de citron vert confits sur les tubes de coco et quatre points de ganache à côté.

merci

Je tiens à rendre hommage à :

mon épouse Muriel, sans qui cette aventure
n'aurait aucun sens et qui œuvre sans limite à mes côtés
depuis le début de cette histoire culinaire ;

mes parents Charles et Éliane, pour m'avoir accordé leur confiance
sur des choix de carrière qui n'ont pas toujours été faciles ;

ma sœur Lesley, qui m'a toujours encouragé.

Je remercie mon associé Chris, pour avoir cru en ce projet
et pour sa fidélité renouvelée.

Une forte pensée pour mon mentor Paul Bajade,
qui a toujours été mon étoile bienveillante.

Merci également à tous mes collaborateurs
pour leur travail formidable et leur intégrité, à mes fournisseurs
qui donnent le meilleur au quotidien, sans oublier nos clients
pour leurs retours judicieux qui me permettent de m'améliorer
et de progresser chaque jour davantage.

Direction artistique
et conception graphique :
Georges Riu

–

Prépresse et fabrication :
Glénat Production

© 2014, Éditions Glénat
Couvent Sainte-Cécile
37, rue Servan - 38000 Grenoble
www.glenatlivres.com
Tous droits réservés pour tous pays.

ISBN : 978-2-7234-9774-9
Dépôt légal : mai 2014
–
Achevé d'imprimer en Slovénie
en mai 2014 par Korotan,
sur papier provenant de forêts
gérées de manière durable.